U0134833

臺中學
2018
The Study of Taichung

奔騰年代

牧馬中樞的后里馬場

林慶弧、郭双富 著

王志誠 主編

臺中市政府文化局　遠景 VISTA PUBLISHING

奔騰年代

牧馬中樞的后里馬場

CONTENTS

奔騰年代
牧馬中樞的后里馬場

厚植臺中的在地文化

林佳龍

　　臺中位於臺灣南北交通的中點，氣候宜人，資源豐富，擁有良好的生活機能，更有優美的城市風景。多年來，我們積極活化市區，為市民打造一個生活的好所在，並且致力發展人文產業，為臺灣建立一座嶄新的文化城。

　　新臺灣國策智庫於 2018 年五月公布，臺中市是六都民眾心目中的最佳宜居城市，這是我們連續四次獲此殊榮，也是所有臺中市民努力的成果。除了推動城市建設，我們還要厚植在地文化，才能擁有豐富的精神生活，從「希望的臺中」邁向「進步的臺中」。

　　世界各地的重要城市都有自己的定位與特色，由文化局策畫出版的「臺中學」系列叢書，呈現出臺中市的獨特歷史脈絡和優質人文風貌，在 2016 年和 2017 年都受到文化界和學術界人士的關注與肯定。第一輯的主題包括臺中公園、林獻堂、葫蘆墩圳、清水及珍奶茶飲；第二輯的主題則有臺中火車站、第二市場、中央書局、天外天劇場及膠彩畫家林之助，充實的內容獲得各界的一致好評，引

領讀者們深入認識臺中在地文化。

　　今年出版的「臺中學」第三輯，延續先前的嚴謹製作流程，特別邀請文史學者深入描寫楊肇嘉、八仙山、霧峰、客家聚落大茅埔、后里馬場以及和平區的原住民聚落，林景淵、蘇全正、蔡金鼎、管雅菁、林德俊、陳介英、林慶弧、郭富、鄭安睎，透過充滿溫度的文字敘述和精采的圖示，帶領讀者穿越時光隧道，探索先人走過的痕跡，進而瞭解這些珍貴的歷史文化，如何造就出臺中現今的多元樣貌。

　　臺中人文薈萃，是名副其實的希望之城，也是富於文化底蘊的城市，建立在共生、共榮、共好的基礎上。讓我們透過閱讀的力量，把希望變成進行式，在追求進步的同時，也要珍惜自身擁有的文化資產，才能培養深厚的文化內涵，然後穩定地邁向新的階段，創造出人本、永續、活力的臺中。臺中的改變，會帶領臺灣的改變；臺中的進步，也會帶來臺灣的進步。

局長序

擁有豐富內涵的城市

王志城

　　臺中曾經是臺灣省城的所在地，其重要性不言可喻。臺中市的山、海、屯、城區開發，是一部生動的庶民墾荒史，值得我們深入研究，瞭解這塊土地的身世背景，才能產生情感連結，進而強化自我認同。

　　近年來，臺中市政府積極建構「臺中學」，讓社會大眾從自然、人文、歷史、地理等多方面的角度，廣泛認識這個擁有豐富文化內涵的城市。每一輯「臺中學」叢書皆是由專業的文史工作者執筆，選取能夠彰顯臺中特色的地景、人物和題材，呈現這座城市的不同風貌。透過這套書的內容，我們可以重溫百年來的城市風華，見證古時的純樸生活，檢視現在的繁榮進步，由此鑑往知來，讓臺中人更加珍惜自己擁有的一切。

　　延續第一輯與第二輯的內容規劃，第三輯「臺中學」選取臺中社運家楊肇嘉作為指標人物，由歷史學者蘇全正和林景淵執筆，《劍膽琴心：跨越兩個時代的六然居士楊肇嘉》介紹這位來自清水的仕紳如何投入民族運動、倡導地方自治。霧峰舊名「阿罩霧」，擁有美好的田園景致和優雅的藝文空間，作家林德俊（小熊老師）在《霧繞罩峰：阿罩霧的時光綠廊》詳述自己的老家如何成為引人入勝的文化小城。

　　為了讓「臺中學」的研究擴及大臺中全區域，我們前進后里，探索后里馬

場的建設經過與經營特色，由修平科技大學副教授林慶弧、臺灣文史學者郭 富寫成《奔騰年代：牧馬中樞的后里馬場》。八仙山是中部推廣森林環境教育的重要基地之一，《千面八面：八仙山的百年樣貌》作者蔡金鼎、管雅菁從事社區營造工作多年，書寫臺灣林業經濟發展的興衰，以及當地人士造林、育林的生活轉變，其中蘊含幾代人的共同回憶。

逢甲大學陳介英教授擅長經濟社會與文化發展的研究，《茅埔成庄：東勢大茅埔客庄的過去與未來》呈現出客家庄的傳統生活，包括族群的衝突與融合，也讓我們看到大茅埔的蛻變。和平區是臺中市轄域內唯一的直轄市山地原住民區，日治時期屬於臺中州東勢郡蕃地，縣市合併前為臺中縣和平鄉，臺中教育大學鄭安睎老師所寫的《願社平和：和平鄉原住民聚落》帶領我們瞭解泰雅族人在此地的生活樣貌。

「臺中學」系列叢書問世之後，屢屢榮獲文化部、國史館的獎勵推薦，2018年更獲得金鼎獎優良出版品推薦，以及讀者們的多方肯定。我們希望透過「臺中學」系列，將臺中在地的各種人文薈萃知識進行交流，共同發掘這個城市的美好故事，並讓它們永續傳承下去。

前言 Foreword

「紀元節」觀看馬的大遊行

一隻一隻慢慢算，總共有 60 匹馬參加這次的大遊行，規模盛大、雄壯威武，是
臺中市舉辦難得一見的馬遊行，準備到臺中神社參加奉祭開國 2600 年的儀式。

紀元節

每年的 2 月 11 日，是日本的建國紀念日，四大節日之一。臺灣從明治 29 年（1896 年）開始舉辦，直到昭和 20 年（1945 年）止，這一天由中央到地方都會在各地的神社舉行許多慶祝儀式。昭和 14 年（1939 年）才特別將「愛馬大遊行」加入慶典活動中，以普及馬事思想與養成愛馬的觀念。

樂成宮

位於臺中市東區旱溪里的媽祖廟，又稱為「旱溪媽祖」，建於乾隆 55 年（1790 年），廟址位在漢人從臺中市區往大坑山區及太平開墾的必經之地，也是漢人與原住民最早接觸做生意之處，因此形成市集。道光年間開始「大屯十八庄遶境」活動，1985 年內政部列樂成宮為三級古蹟建築，「十八庄遶境活動」被列為臺中市無形文化資產。

昭和 15 年「紀元節」（1940 年 2 月 11 日，農曆正月初四）空氣中還瀰漫著濃濃的過年氣氛，住在臺中「旱溪媽祖廟」旁的林金土，興沖沖地跑回家裡灶腳，氣喘吁吁問：「阿母，什麼時候可以吃中晝？」

阿母很好奇地問說：「你有什麼事情？平常時吃飯都找不到人，為什麼今日會想要討吃飯？」

「剛剛在廟埕那裡，聽到大人們在講下晡一點，有馬的大遊行，說會經過臺中車頭，我想要帶弟弟他們一起去看鬧熱。」金土笑嘻嘻地告訴媽媽，他在樂成宮的廟埕聽來的最新消息。

「好啊！再等一下，我再『餾』兩樣菜就可以吃了，你去叫金木和金水同時來吃。」

臺中市東區樂成宮廟埕廣場。（林慶弧／攝）

奔騰年代｜牧馬中樞的后里馬場

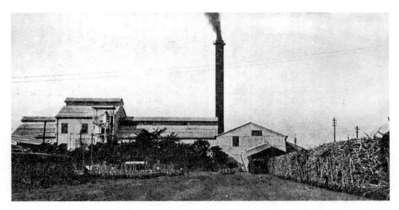

帝國糖廠株式會社臺中工廠。（郭双富／提供）

　　林金土又跑回廟埕去找兩個弟弟，三兄弟一起回家吃午餐，匆匆吃完一碗飯喝完湯，金土騎著爸爸的鐵馬，金木坐在前鐵桿上，金水坐在後面的貨架，出發前往臺中火車站。

　　經過糖廠（高砂町）前的鐵枝路時，就遠遠看到廣場好像很多人潮往車站方向前進。繼續往前騎，就在靠近練兵場圍牆旁邊，聽到更熱鬧的嘈雜聲，再往前一點就看到好多好多馬，但是有管制不能進去看。原來下午的大遊行，出發的地點就是在「臺中州畜產會」成立的「乘馬練習所」（臺中市干城町）裡面。

　　金土三兄弟愈來愈興奮，加快踩踏板，不久就到臺中火車站，一看不得了，早已人山人海，到處都是人。停好鐵馬鎖好大鎖，三兄弟手牽手往前鑽，想要往第一排的位置靠過去。好不容易擠到了最前面蹲好，金木問道：「阿兄，那個牌樓上面寫什麼字？」

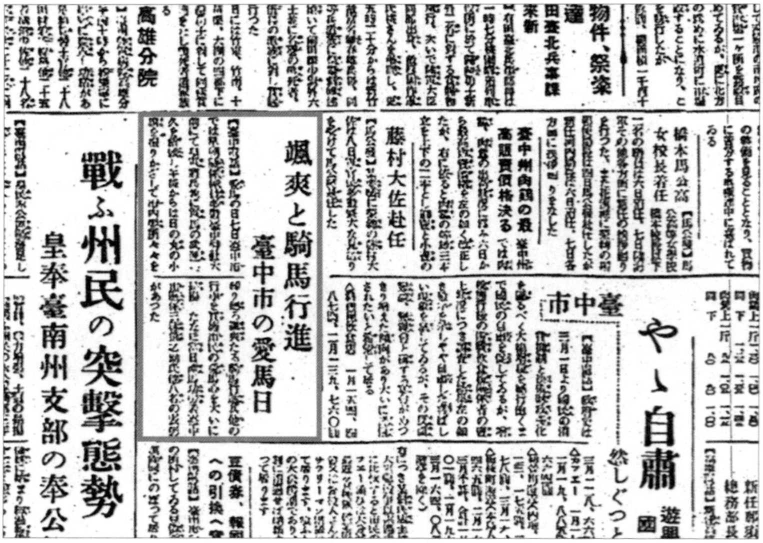

金土抬眼一看，說：「寫『奉祝紀元節愛馬大行進』啦。」

此時，金水好奇地問：「什麼是『愛馬大行進』？」

「我也不知道。」金土搔搔頭回答。

就在這個時候，站在旁邊的歐吉桑聽到三兄弟的對話，側身跟他們說：「哦，這就是日本政府在『開國紀念日』這天，今年是第二次舉辦的『騎馬遊行』，說是要給大家認識馬的重要性，不僅只有咱臺中舉辦，全臺灣的大都市嘛攏有舉辦，親像臺北、臺南、高雄都有，連屏東、臺東、花蓮港都嘛有遊行，今年是奉祝紀元 2600 年，所以特別鬧熱。」

不久，就聽到人群裡傳來的騷動喝采聲。

「來呀！來呀！」

「哇！馬這麼大隻！」

馬隊遊行，經過臺中州廳前的掌旗官，可以看到隊伍拖得很長。（郭双富／提供）

「喔，驚死人，一次出來這麼多馬！」

「你看，那個馬師真緣投呢！」

大家七嘴八舌談論前所未見的景象。

「阿兄，好多馬喔！」金水興奮得忍不住拍手尖叫起來。

「阿兄，攏總有幾隻馬？你甘知？」金木問大哥。

金土傻傻地笑：「我嘛不知道，咱同時來算，看攏總有幾隻馬。」

「一、二、三、四、五、六……」

一隻一隻慢慢算，總共有 60 匹馬參加這次的大遊行，規模盛大、雄壯威武，是臺中市舉辦難得一見的馬遊行，當天繞行的路線從臺中乘馬練習所（今干城重劃區）出發，朝往老松町後驛（今復興路），轉明治町（今林森路），沿著旭町（今

由臺中市街圖足見此次遊行路線範圍極廣。（郭双富／提供）

奔騰年代 │ 牧馬中樞的后里馬場

位於臺中公園內的臺中神社舉行祭典情形。（郭双富／提供）

日治時期的臺中市街道寬敞平整，照片為新富町通。（郭双富／提供）

三民路）前進，因為隊伍拖得很長，到臺中病院（今署立臺中醫院）時休息整隊，稍事喘息，繼續由州廳前通（今民權路）出發，途經臺中州廳前，往前過大正橋（今民權路跨越綠川），到「火車路空」前左轉驛前大通（今建國路），到了人潮最多的臺中火車站廣場，這裡也是林家三兄弟駐足觀看的地點，並進行隊形變換的表演。接著遊行隊伍繼續繞行最熱鬧的市區（今臺灣大道一段），朝著梅枝町（今北區五權路）前進，並在此處停留休息，再到若松町（今中華路一帶）遊街，然後進入臺中公園，到臺中神社參加奉祭開國 2600 年的儀式，結束後再騎回乘馬練習所。

整個臺中市區洋溢著熱鬧慶典的情緒，金土、金木、金水三兄弟，後來就跟在遊行隊伍的最尾端，好奇又欣喜地一路踩著鐵馬，也不覺得辛苦疲累，回到家都已經要準備吃晚餐了，興高采烈一邊吃一邊還談論著今天看到的新奇經驗。

金土問父親：「阿爸，您甘知影這麼多馬，是對叼位來ㄟ？」

阿爸回說：「我有聽人說，親像是從后里馬場來ㄟ。」

「后里馬場在哪裡？」三兄弟同時睜大眼睛齊聲問道。

阿爸嘴角一笑，於是娓娓道來關於馬與后里馬場的故事……。

2017 年 8 月臺中市政府主辦的「媽祖會百週年」活動，白色駿馬為隊伍前導。（林慶弧／攝）

第一章 Chapter 1

臺 灣 馬 的 謎 團

馬一直伴隨著人類的發展歷史而前進，牧馬作為過去歷史上馬政事業的表現，其
盛衰與走向常能反映一國政治強衰、經濟情況與社會文化水準，可以清晰地見到
馬的足跡與烙印，是評估該國經濟開發與軍事盛衰的重要指標。

馬（學名：Equus ferus caballus），「始馬」約五千萬年前出現在地球上，比起人類的歷史更是長遠，但是卻經過漫長歲月的複雜與變異演化，才有今日體形壯碩模樣的馬登場，世界各國馬種依據功能與用途，略分為乘用種、輕輓用種、重輓用種、休閒觀賞用種。

　　人類出現後，馬就成為人類的食物，在許多舊石器時代的遺址中，就曾發現堆積的大批馬骨，推測當時史前人類是將馬當成可食用的獵物。也有人類將當時的所見動物描繪在岩洞中，例如法國的拉斯科洞窟（法語：Grotte de Lascaux）壁畫，根據放射性碳定年法鑑定，目前考古證實約有兩萬五千年之久；馬也很早就被人類馴服豢養成為家畜，馬是草食性家畜，牧馬

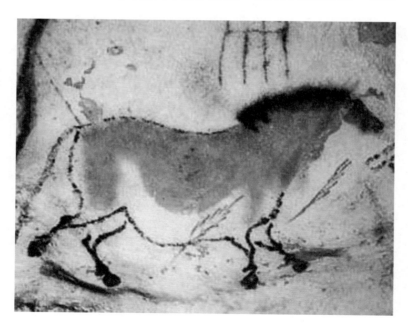

法國拉斯科洞窟壁畫的馬。（資料來源：維基百科）

是人類文明的產物，約六千多年前就被人類馴服豢養，最早的馬匹馴養遺址於歐亞大草原發現，中亞一帶已用馬拖拉帳篷和裝備，馬的最大天賦就是具有學習與被訓練的能力，但是人類懂得騎馬打仗，又是更晚以後所發生的事。

馬廣泛分布於世界各地，給人敏捷快速且體態雄健的印象，馬的利用起源年代非常久遠，自古迄今綿亙數千年，所扮演的角色各代雖有異，然其為人類服務與協助的功能卻始終如一，是人類生活上非常重要的夥伴，其功能很廣泛，最熟悉的就是交通運輸，此外還有搬運馱物、農耕勞役、軍事國防，甚至食用取奶，過去畜馬產業發達與否，與民族興盛息息相關；近年來功能則轉換成為休憩娛樂與運動發展，用以競技、狩獵、競速與觀賞為培育目標。

此外，馬一直伴隨著人類的發展歷史而前進，牧馬作為過去歷史上馬政事業的表現，其盛衰與走向常能反映一國政治強衰、經濟情況與社會文化水準，可以清晰地見到馬的足跡與烙印，是評估該國經濟開發與軍事盛衰的重要指標。

臺灣有原生馬嗎？

即使世界各地都有馴化馬的紀錄，但是臺灣到底有沒有原生的馬，是非常令人好奇的事，想要了解臺灣是否產馬，可以

從兩條線索來探尋。

第一條線索是從考古學著手，1981 年設立於臺中的國立自然科學博物館，在開館之初，即進行臺灣地區各類古生物化石的研究工作，特別針對臺灣海峽澎湖水道（或俗稱「澎湖海溝」）海底，打撈上來的哺乳動物化石群，進行一系列的分析與研究。

澎湖海溝位於臺灣島和澎湖列島之間，是臺灣海峽中一段地形比較特殊的水域。據有關資料，海峽水深一般是 70 ～ 80 公尺，最深處可達 200 公尺。科博館成立前的二、三十年，漁民在此區域進行底拖作業時，經常撈起大型的脊椎動物化石。在成千上萬的化石中，科博館的研究人員發現馬的肢骨與牙齒化石，意味著在過去的史前歲月裡，「野馬」曾經奔騰在臺灣這塊陸地上。

「澎湖動物群」在年代鑑定上，距今約一萬年至四萬年，在地質年代上屬於更新世晚期，與「野馬」同時出現的古生物還有：食肉類的虎、貂、棕熊、鬣狗；偶蹄類的德氏水牛、楊氏水牛、梅花鹿、四不像鹿、野豬等。

研究人員曾經進一步地分析與比對澎湖海溝的馬化石，尤其是上、下顎骨時，發現許多生物特徵與廣布在華北地區的普氏野馬（Equus przewalskii）相似，也有學者認為從其肢骨形態與大小來研判，它應該屬於大連馬（Equus dalianensis）的近親。

科博館認為儘管研究工作還在進行，系統分類亦尚未有定論，然而，臺灣的「野馬」遠從華北、東北長途跋涉、播遷而來卻是不爭的事實。

　　研究人員對於臺灣的「野馬」在平原裡消失殆盡，充滿許多疑問。到底是因為環境的丕變？動物間的競爭？抑或人類的過度獵捕？

　　造成這批珍貴的只能從澎湖海溝動物化石得知的「野馬」，最後的行蹤到目前都是一團迷霧，有待古生物學家繼續抽絲剝繭，了解臺灣「野馬」後來的發展與分布。

　　此外，2008 年臺南市政府委託劉益昌博士進行「麻豆水堀頭遺址考古調查發掘研究計畫」，清理古碼頭區域，並進行地層探勘。水堀頭遺址於四百年前曾是繁盛的臺江內海港口，其位置正是臺灣西南平原中段的一個廣大內海，從考古挖掘過程中，在港區內挖出不少文物，包括罕見的臺灣新石器時代晚期的青銅箭頭、來自中國的青花瓷及平埔族人所喜愛的瑪瑙飾品等，甚至也出土一具相當完整的馬骸骨。

　　至於為何港區內會挖掘出全馬遺骸，出現幾種不同的推測，首先，有一說是以往該處是碼頭，可能用馬匹拖運貨物，馬死了就直接丟入港底所留下來的；第二種推測是荷蘭人據臺時，由外地運載馬匹到古碼頭，其中有馬匹不堪舟車勞頓死了，就直接丟入港區；再者，也有學者認為馬匹可能到河邊飲水不

慎跌入死亡，之後逐漸淤積成沼澤；第四種說法，則是可能該匹馬沿著河流被大水沖來的。到底為何？莫衷一是。但該匹馬遺骸的可能年代為何時？考古學者推估應在清朝末年時期，距今約只有百餘年歷史。

實際上，比這個當年引起討論話題的馬遺骸，在臺南市左鎮菜寮溪更早就出現過馬化石，臺南市政府文化局下轄的「菜寮化石館」展示多件在該處出土的馬骨骼與馬齒的化石，經專家推測臺灣早在四萬年前就有馬，應該都是由亞洲大陸來的，且認為這些馬的化石，和現在存活在新疆一帶的蒙古野馬（Equus przewalskii）應屬同一種動物。

臺灣到底有沒有原生馬？從以上的考古事實發現，更新世後期冰河期開始，海水退去，臺灣海峽下降了130～180公尺，變成陸地形勢，並與亞洲大陸相連接，此時大量古動物群，從亞洲大陸各地走過海峽遷徙到臺灣，因此臺灣的古化石中，曾經出現馬的蹤跡。

文獻中的臺灣馬

另外一條調查線索，主要以文獻典籍作為對象，查證史料紀錄來了解臺灣是否產馬。

「山馬皮」的貿易

　　1624 年荷蘭人占領南臺灣，進行殖民統治，與明朝、日本各地進行貿易，日本的貨物清單上，曾出現三則「山馬皮」交易紀錄，分別是：

　　《增補華夷通商考》：「大冤，又名臺灣、東寧、塔伽沙古，其土產有白砂糖、鹿皮、山馬皮、獐皮、木棉、西瓜、欄菜、鳥獸、米、南瓜。」

　　《外國通信事略》：「東寧（塔伽沙古、今臺灣），日本南方六百四十里，此國商船前來，土產白砂糖、冰砂糖、鹿皮、山馬皮、獐皮。」

　　《長崎港異國押役人》：「東寧，距日本六百三、四十里，土產白糖、黑糖、鹿皮、山馬皮、小人皮。」

　　令人納悶的是，當時臺灣產的「山馬」，到底長得什麼模樣？數量有多少？為何原住民會取其皮作為貿易的項目？根據日治時期的人類學家伊能嘉矩的調查，他認為所謂的「山馬」，就是臺灣本土的馬，由原住民所捕獲，但以野生放逸的狀態進行，每年固定的季節加以獵捕，並取其皮進行買賣。

荷蘭人的紀錄

最早提到臺灣島上馬匹的荷蘭人，是首位深入西拉雅各社傳教的牧師甘治士（Georgius Candidius）。他於 1628 年給東印度公司當局的《福爾摩莎概況報告》說：「全島被許多河流分割成數部分，漁產豐富，有許多鹿、野豬、野羊、山鷸、鷓鴣。也有許多牛、馬等動物，……。」

至於荷蘭治理臺灣時期的檔案，以《熱蘭遮城日記》最為詳實，其中所記錄到的馬，都是與戰爭或軍備運輸有關；最精采的就是 1661 年與鄭成功軍隊對峙時，雙方的騎兵互相挑釁，誘敵的過程讓人印象深刻。但統計後荷蘭人在臺灣所豢養的馬，前後三十八年不超過 50 匹，而且都是渡海船運而來，異常珍貴，有專人負責餵養。

清朝檔案中的「馬」

清朝治理臺灣長達二一二年，所留存的檔案更多，甚至已經有官方出版的方志，從這些資料中，發現有更多馬的紀錄。

《裨海紀遊》記載：「臺灣，地不產馬。內地馬又艱於渡海，雖設兵萬人，營馬不滿千匹。」

《赤崁筆談》記載：「馬小而力弱，異於內地，內山有山馬。」

《諸羅縣志》記載：「東、西螺以北，番好飼馬，不鞍而馳驟；要狡獸，截輕禽，豐草長林，屈曲如意。擇牝之良者倍價而易之，以圖孳息。」

《臺灣府志》記載：「馬從內地來，近亦有牝而生者。」

《噶瑪蘭廳志》記載：「馬：從內地來者尚少，近惟營中間有兩、三匹。」

《番俗六考》記載：「山有野牛，民間有購者，眾番乘馬追捕售之，價減熟牛一半。」

郭双富至臺南市孔廟拓印清朝的「下馬碑」。（郭双富／提供）

從這幾段的紀錄文字觀察，可以知道隨著漢人移入臺灣，雖有中國本土的少數馬進口，因為渡海來臺是困難的，來者也皆非良種名駒，且都集中在軍隊；原住民有能力豢養馬匹，母馬的價格較為昂貴，並騎馬去捕野牛販售，而且騎馬的時候竟然不需要馬鞍，控制馬的技術也非常嫻熟。

　　是否有人看到這裡，心中產生強烈的懷疑，滿洲人不是騎馬的民族嗎？清朝的軍隊主力不是騎兵部隊嗎？為何當時臺灣沒有配置軍馬和騎兵呢？答案呼之欲出。

　　康熙 23 年（1684 年），本籍盛京的正黃旗楊文魁，擔任臺灣鎮總兵，是臺灣此時期的最高軍事首長。在臺三年任期內，建置第一個馬兵（騎兵）的制度，在臺南配置鎮標城守營 44 匹馬、北路中營 50 匹馬；北路竹塹守備營 12 匹馬、南路下淡水都司營 6 匹馬，總共有 112 個騎兵組織。

　　清朝要將馬匹運送到臺灣有實際困難，第一個困難是，馬原產在西北，東南不產良駒，閩浙的馬價昂貴，因此無馬可大量購置；第二個困難是，如何以戰船輸送馬匹，就如同不諳風濤的北方人易於暈船，馬匹也很難像人一樣爬下狹窄的階梯，裝載於甲板下的艙間，如何以船隻將馬匹平安運載、卸載有其技術難度。

　　康熙 60 年（1721 年）朱一貴起兵，藍鼎元隨同堂哥藍廷珍來臺擔任軍師。事件平息之後，藍鼎元全面考察臺灣社會、

政治、經濟、軍事的現實和地理、風俗、信仰、教化等方面的情況，提出對臺灣進行綜合治理，促進臺灣走向文治社會的具體措施，是第一個全面系統提出治理、經營臺灣的理論體系，被當時和以後的治臺者所借鏡採用。

其中，關於馬政，藍鼎元在《覆制軍臺疆經理書》提出策略：「臺地少馬，無以壯軍容而資衝突。今擬鎮標三營、城守一營，各設馬兵六十名；南路、北路二營，各設馬兵八十名；共配馬四百匹，即在添設三千六百兵額之內，請旨配撥。先自內地帶馬來臺，以後換人不換馬。或有倒斃，方就臺地孳生買補。時或孳生不足，亦向內地採買以來，則無苦累民番之處。」這是首次清朝官員對於如何在臺灣養軍馬提出具體的規劃。但短短不到八年，雍正 7 年（1729 年）閩浙總督高其倬認為臺灣多雨，春、夏、秋三個季節皆泥深水大，馬無所用，所以又給裁廢了。

為何臺灣多牛少馬？甚至出現「無牛使馬」具貶損意味的臺灣諺語？

主要原因是移民臺灣的漢人農民使用獸力的習慣，一直以來都是重牛輕馬，最早的移民捕獲當時的原生種黃牛豢養，後來又從中國沿海移入水牛當成使役牛，從此使役牛的繁殖日益繁盛，成為農民主要的助手。到了明朝末年鄭芝龍開墾臺灣時，鼓勵漢人移入臺灣，特別實施「三金一牛」政策，給大陸

日治時期臺中州豐原郡的木材集散場，以馬作為獸力運輸。（郭双富／提供）

來臺每人銀三兩及三戶分配共用一頭牛，更加確立牛在農事的地位，耕牛愈加普及。

後來統治臺灣的荷蘭人開始發展農耕，自然必須引進耕牛。據《巴達維亞城日記》1640 年 12 月 6 日記載：「從澎湖島輸入很多農用的牝牛和牡牛，牠們的數量大為增加，公司和個人飼養的已超過 1,200 頭至 1,300 頭。」這是 1640 年時的紀錄，是當時全島牛隻數量統計，距 1628 年甘治士撰《福爾摩莎概況報告》已經十二年，臺灣平均每年進口牛隻至少百餘頭。

曾經擔任臺灣總督府圖書館的第五任館長山中樵，在臺任職長達二十年，因為他對於臺灣歷史與文物保持高度的關注與研究興趣，因此在其任內，對於該館所蒐集的清朝時期出版品

日治時期「后里實踐農業學校」實習課程，教導如何用馬耕田。（郭双富／提供）

特別重視，山中樵曾經將所有清朝典籍裡與臺灣馬相關的資料整理出來，在《臺灣の畜產》發表過一篇有趣的文章。這篇文章提到，清朝在康熙 23 年（1684 年）將臺灣收為領土時，官員撰寫畜產的記載，當時所見的動物共有 17 種「金錢豹、麞、鹿、麂、麖、麝、牛、羊、豬、犬、貓、兔、豬熊、猴、山豬、獺、鼠」，唯獨缺少「馬」的觀察紀錄，至於禽類則多達 30 種。

一直到乾隆 6 年（1741 年）的官方紀錄《重修臺灣府志》，

日治時期，高雄以馬耕田的場景。（郭双富／提供）

才出現有馬的畜養，還特別說明這些馬是從中國移殖而來。

　　自古以來臺灣就無原生馬，基本上都是由他地移入，無論是史前時代的自行遷徙，或是人為的船載運入，馬的數量在臺灣都比不上牛群之多，馬在臺灣算是稀少的動物品種，平時也很難見到，因此養馬的事業並不盛行。

第二章 Chapter 2

日本馬政與臺灣馬政

雖然兩次戰役最後日本都是以戰勝作為結果，但也暴露了軍馬不夠優異的缺失，日本的戰馬明顯遜於其他國家，明治天皇對這樣的情況感到憂慮，於是下令大力推進改良，以應對戰時馬匹利用，因此加快腳步進行全面化的改善與突破。

大正的四匹愛馬

日本第一次馬政計畫時，從澳大利亞進口一萬匹駿馬，改良日本馬的品種，馬政局從中挑選四匹特別優秀的良駒，作為大正天皇的坐驥，這四匹養在深宮中的馬，就是天皇日常的交通工具，名字取為「藤園」、「他諸毯」、「豐島」和「近知」。

明治 27 年（1894 年）甲午戰爭，日本政府體認到國內馬匹素質有改善的必要，於是在戰爭結束之後，為了提高戰馬的品質，明治 28 年（1895 年）6 月 18 日，內閣成立了「臨時馬調查委員會」，以尋求改進方法，著手進行馬種的改良增值。但是時局變化快速，幾年後陸續又參加明治 33 年（1900 年）對清發動的「八國聯軍」之役，以及明治 37 年（1904 年）發生的「日露戰爭」（日俄戰爭），日本陸軍的軍馬很多無法適應戰場環境，疲憊倒下事態嚴重。

雖然兩次戰役最後日本都是以戰勝作為結果，但也暴露了軍馬不夠優異的缺失，日本的戰馬明顯遜於其他國家，明治天皇對這樣的情況感到憂慮，於是下令大力推進改良，以應對戰時馬匹利用，因此加快腳步進行全面化的改善與突破。

所謂日本「馬政計畫」，明治 37 年（1904 年）4 月宮內省主馬寮主馬頭藤波言忠，受命擬定改良計畫，帶領該省技師新山莊輔和書記原田種穗兩人，著手策畫改良方針。同年 9 月 21 日，迅速成立了一個跨部會的「馬制委員會」，建立負責改善馬匹的行政組織中心，這個委員會在召開八次會議審議後，起草了第一個馬政計畫。當時日本軍馬體型很小，素質也差，造成軍隊行動不便，曾赴歐洲考查列強馬政的藤波，主要構思仿效法國的改良計畫和馬政局的機構設置，完成日本近代馬政的基礎。

第一次馬政計畫

　　這項計畫一開始就以三十年為目標的長期事業（1906年～1935年），是一個龐大且深入基層的藍圖，以擴大增產和改善日本馬匹的素質。首先，明治39年（1906年）5月30日頒布的第121號敕令，在內閣設置新的專屬權責機關——「馬政局」，負責改善和繁殖馬匹。

　　但是在大正12年（1923年）3月，因為農林省也增設了畜牧部門，馬政局被廢除。然而在軍方強力斡旋下，昭和11年（1936年）又恢復了「馬政局」，為了掌控馬政局的營運，

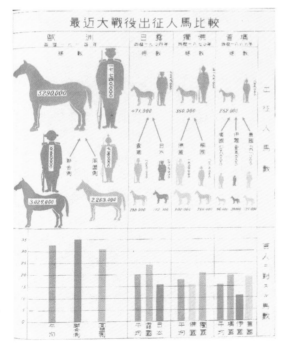

日本政府分析明治37年（1904年）的戰爭型態，檢討軍馬的數量與素質後，確定進行軍馬改良。（郭双富／提供）

增加了四名陸軍部長指定的委員，農林省和拓務省的影響力被削減，刻意強調與軍隊的關係，此時，新的業務增加軍事合格馬的資格判斷，與戰馬資源的調查兩項任務。

首先，該計畫的第一階段從明治 39 年（1906 年）至大正 12 年（1923 年）共十八年，首要方針是「充實國有種馬」和「改良本土馬的血統」。另外從大正 12 年（1923 年）到昭和 10 年（1935 年）共十二年，是該計畫的第二階段，要進行「提高馬匹的耐力」和「培育標準的戰馬」兩項目標。

計畫一開始，從西洋各國輸入符合改良方針的種馬，其中大手筆地從澳大利亞進口 1 萬匹馬，企圖經過三十年後，將 150 萬匹日本本土馬全數改為雜種化（其中騎乘專用馬總數 40

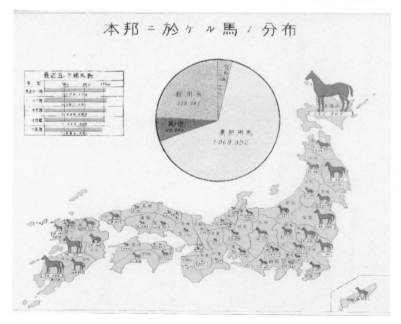

日本馬政計畫開始前，先著手調查國內的馬匹數量與品種。（郭双富／提供）

奔騰年代｜牧馬中樞的后里馬場

萬匹，賽馬專用的總數為 20 萬匹）。為完成這項事業，在日本各地設置「種馬牧場」（專門繁殖種馬）、「種馬育成所」（培養幼齡種馬）和「種馬所」（交配種馬）等相關產馬單位。此外，還籌畫準備畜養 1,500 匹的國有種公馬，到全日本各地進行交配改良，也在全國各縣成立推廣「馬匹共進會」或「賽馬會」等措施，讓民間共同參與。

該政策由上而下地徹底執行，幾乎是達到官民全力合作，到昭和 10 年（1935 年）馬政計畫結束時，日本國內馬匹已經有 93.2% 變為雜種，洋種占 3.4%，在來種本土馬從明治 39 年（1906 年）的 87.8%，降到昭和 10 年（1935 年）的 3.4%，日本的馬匹已大致改良成功。

經過昭和 6 年（1931 年）的「九一八事變」，和昭和 7 年（1932 年）成立偽「滿洲國」後，日本侵華的野心愈加明顯，以農林省跟陸軍省委員為主的馬政局，為了更進一步深化改良馬的體能與素質，於是著手準備「第二次馬政計畫」（1936 年～1965 年），在此同時，也規劃了殖民地的馬政計畫，包含臺灣、朝鮮和樺太在內，希望同時進行，一併提升馬的素質，與擴大馬匹畜養數量。

因此，前述計畫尚未開始之際，拓務省即參與進行殖民地的馬事調查。昭和 9 年（1934 年）5 月視察臺灣馬事情況的農林技師佐マ田伴久，對於臺灣馬政的發展給予很大的期望；臺

產馬單位

種馬牧場（或種馬場）：指專門繁殖種馬。

種馬育成所：指培養幼齡種馬。

種付場（或種付所）：指專門讓馬進行交配的地方。

種畜場：只負責養馬與研究馬的單位。

騎乘所：指專門練習騎馬的地方。

灣方面，總督府殖產局農務課技師高澤壽和中央研究所農業部技師山根甚信等人，則負責擬定「臺灣馬政計畫」（1936 年～1965 年）。

第二次馬政計畫

第二次馬政計畫於昭和 11 年（1936 年）4 月 1 日起實施，計畫期間為三十年，但隨著日本在太平洋戰爭中失敗，於昭和 20 年（1945 年）正式結束。

根據第二次馬政計畫，內容延續第一次馬政計畫的主軸，豐富國家防禦能力，在提高馬匹生產的同時，還特別深化基本項目，例如：確立國家擁有的馬匹數量、將馬的功能類型進行明確分類、對於馬的生理結構與體能進行徹底研究，最後則是嘗試培育改良馬的品種類型。簡言之，就是確保國防所必需的有效馬匹數量，特別是有競爭力的賽馬，在健全的畜牧基礎上，根據實際情況鼓勵保護，穩定馬匹生產管理。

第二次計畫也從世界各地進口優質品種進行改善馬匹，從國外進口的馬類型，有騎乘馬、輕駄馬和重駄馬；騎乘馬的品種以盎格魯諾曼為主，輕駄馬則是阿拉伯品種，至於重駄馬選擇 Percheron 品種，這次總共從世界各國進口 6,000 匹種馬。

昭和 12 年（1937 年）中日戰爭爆發後，許多戰馬被派往

為了改良日本馬匹的品
種，馬政局從世界各國
進口不同的牡馬，進行
交配。（郭双富／提供）

中國戰場，日本國內馬資源相對減少。日本陸軍省於昭和 13
年（1938 年）8 月向農林省提出了戰時控管馬匹的特別動員要
求。首先，將所有種馬國有化，為優秀的種馬制定保護激勵措
施，以便能培育更多的戰馬，對馬匹的生產做出貢獻；此外，
在緊急情況下，陸軍省可以隨時徵收符合型態與體能合格的民
間私有馬匹，訓練牠們後發送到戰場；第三項關於賽馬，限制
賽馬的數量，以有助於確保戰馬資源，進一步保障徵收的來源。
伴隨實施動員計畫的前置作業，昭和 11 年（1936 年）5 月 29 日，
修改了日本國內賽馬辦法，整合了十一個賽馬俱樂部，統一成
立日本賽馬協會，以確保賽馬的公平性，加強控管賽馬的所有
資源。

（乘馬）名譽賞　第五キンセイ號

種類	內國產洋種
性	牝
毛色	鹿毛
年齡	五歲
體尺	五尺二寸九分
毛產地	青森縣

血統
父　サラブレツド種　ガロロン號
母　濠洲產洋種　ゴールマイン號
出陳者　青森縣　近藤元太郎

（乘馬）壹等賞　グランドスタ一號

種類	內國產洋種
性	牡
毛色	栗毛
年齡	三歲
體尺	四尺九寸
毛產地	日高國

血統
父　ギドラン種　ギドラン四二ノ一五號
母　內國產洋種　第五眞駒內號
出陳者　日高國　伊藤倉五郎

伴隨著馬政的推行，日本各地紛紛舉辦各種馬評比競賽，圖為東京畜產博覽會得獎的最優等與第一名名駒。（郭双富／提供）

第二次馬政計畫如火如荼推展到殖民地，尤其是馬匹不多的臺灣也包含在內，開始從事硬體建設，設置種馬場與種馬培育場，並鼓勵民間一起參與養馬計畫，除了大量養殖增加數量外，也提升馬匹的體能，提升到戰場所需的嚴格素質。

綜合而論，馬政局在兩次的「馬政計畫」中，扮演改善和培育日本戰馬的重要角色，最初是一個臨時的調查委員會，直接隸屬總理，不是一個正式的行政機構。隨著戰爭的企圖愈加旺盛，馬政局將農林省的畜牧業務，和拓務省的馬匹買賣業務等，也一併統整其他部門與馬相關的業務，到中日戰爭爆發時，還納入陸軍省和外務省的相關事務，是一個統制日本馬匹進口、畜養生產、品種改良、軍事訓練與統制分發的特殊機構，到昭和 20 年（1945 年）太平洋戰爭結束後完全取消，畜產工作交給了農林省畜牧局負責。

僅成立三十九年的馬政局（1906 年 ～ 1945 年），年年進行全國性的調查，積極改良與推廣日本馬匹。（國立臺灣大學圖書館／提供）

臺灣馬政

想要了解日治時期的臺灣馬政事業發展，忌諱帶有強烈的意識形態和鮮明的民族情緒，應建立以臺灣社會為主體的立場，以較實務、客觀的態度去探討問題。將臺灣馬政事業放入臺灣歷史發展的脈絡，獨立成一個主體進行觀察分析，發現馬政的發展與當時的政治、社會、經濟與文化背景息息相關，經

明治 28 年（1895 年）
日軍進入臺北城。（國
立臺灣圖書館／提供）

營理念、管理制度和具體做法更是受到整體環境的影響。

　　光緒 20 年（1894 年）7 月 25 日清朝與日本發生「甲午戰爭」，清廷戰敗後，隔年光緒 21 年（明治 28 年，1895 年）4 月 17 日與日本簽訂《馬關條約》割讓臺灣。同年 5 月 29 日，負責接收臺灣的日軍部隊從現今新北市貢寮區的澳底登陸，首任總督樺山資紀 6 月 17 日於臺北城內原布政使司衙門舉行「始政式」，象徵統治臺灣的開始。

　　日本接收臺灣，投入包含近衛師團等正規軍隊的三萬餘名兵力，經過大約六個月的戰爭，「臺灣民主國」第一任總統唐景崧及第二任總統劉永福均逃離臺灣，被劉永福放棄的八千

多名清軍和三千名黑旗軍在群龍無首下慌亂地投降，日方認定
「臺灣民主國」已經滅亡，樺山資紀於明治 28 年（1895 年）
11 月 18 日向京都大本營報告「全島悉予平定」。

實際上，隨同「征臺軍」一起來臺灣的軍馬，總共有 300
匹，分別隸屬三個騎兵中隊，與炮兵隊使用；在往南前進的過
程中，根據軍方的日記記載，明治 28 年（1895 年）8 月 31 日，
在斗六莿桐庄附近紮營，日軍的斥候兵偵察時，發現竹林裡有
人在窺探營區，於是加快騎馬速度前往追尋，對方也是騎著一
匹馬逃離現場，沒多久就將對方包圍，逮捕後才發現是一名外
國籍牧師，而且用英語和日軍軍官對話，該名牧師所騎的馬匹，

【左】明治 28 年（1895年）日本軍人隨身攜帶的日記本，封面的書衣印有臺灣全島與離島的地圖。（郭双富／提供）

【右】日治早期臺灣的少數馬匹，作為官方接待用途，圖為明治 35 年（1902 年）臺中公園內的物產陳列館開幕時，客人搭乘馬車蒞臨參觀。（郭双富／提供）

奔騰年代｜牧馬中樞的后里馬場

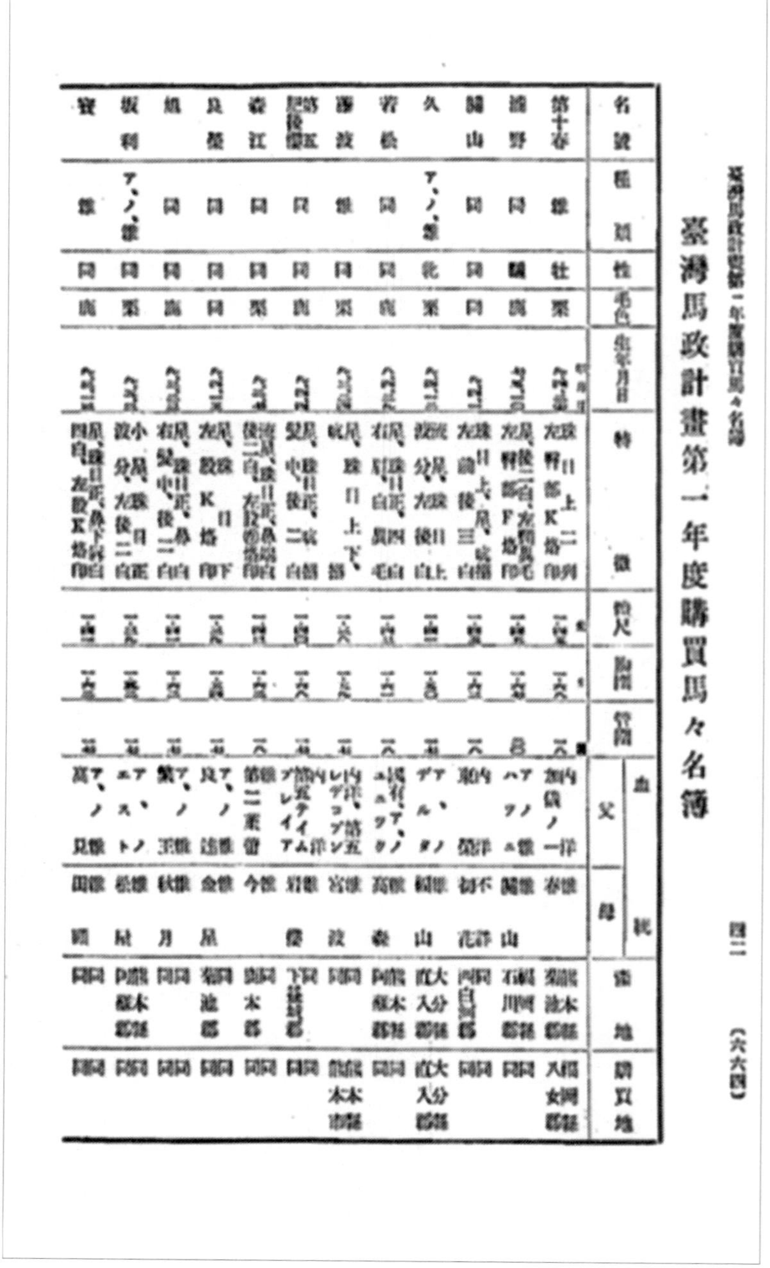

臺灣馬政計畫第一年度購買馬々名簿

四二　（六六四）

臺灣馬政計畫實施後，隔年採購的馬匹名冊，共 52 匹名駒，都來自日本國內。（資料來源：國立臺灣圖書館）

是一匹小型的栗色馬，最特別的是，根據日軍觀察結果，發現馬的鼻翼似乎有動過手術的痕跡。

　　臺灣作為日本的第一個殖民地，養馬的政策與殖民母國息息相關，一樣複製日本國內的模式，從明治28年（1895年）登陸臺灣開始，隨著軍隊一起來臺灣的軍馬共300匹，後來這300匹的軍馬並沒有隨同軍隊立即撤回日本本土。但實際上，這批軍馬因為水土不服，加上氣候潮溼等因素，適應不良造成嚴重的死亡率，後來將僅存的軍馬又運送回日本國內，只留下為數不多的軍馬；但也為了因應官方交通運輸的需要，又再進口許多馬匹，開啟了臺灣馬的發展。

初期養馬——臺灣馬業的興起

　　從殖民政策的角度審視，作為日本的第一個殖民地，觀察日本統治臺灣五十年，養馬作為軍事用途的統治基礎，臺灣總督府大量依賴明治時期本國的畜牧制度的理念和經驗來制定臺灣的養馬計畫，所推動的畜產制度可謂是臺灣近代西式畜牧之發軔。

　　領臺初期政事龐雜，臺灣總督府對於馬的生產與推廣，沒有相關的規劃，僅有少數的有識之士提出呼籲，初期養馬對策偏向試驗性質，因為臺灣氣候潮溼炎熱不適合養馬，最重要的

糖業獎勵

新渡戶稻造博士受聘為臺灣總督府殖產局長，於明治34年（1901年）9月提出《糖業改良意見書》，書中有7點改良辦法、11項保護獎勵方案與14項對於糖業設施及機構的改良意見，臺灣總督府接納其意見後，明治35年（1902年）6月14日頒布了〈糖業獎勵規則〉並成立臨時臺灣糖務局處理相關業務。

日治初期交通不便，騎馬無法橫渡河流，因此馬也要乘著竹筏橫渡大安溪。（郭双富／提供）

是沒有正規合宜的場所來飼養繁殖，因此只有進口 2 匹馬進行實驗，並不特別積極從事養馬，這幾匹馬後來都適應不良，最後也無疾而終。

　　明治 42 年（1909 年）因為臺灣糖業獎勵的改良成功，為了讓蔗田引入更多的獸力，特別從滿州進口三頭「滿州騾」進行勞動試驗，但因為養育方法不成熟，導致工務成績不理想。兩年後，臺灣總督府農林課長嶺技師到印度與爪哇出差，考察熱帶馬的特性與養殖情形，報告總督認為同樣處在熱帶地區的臺灣，應該也可以發展出熱帶馬的事業，但似乎沒有得到上層的積極回應，未見到立即執行任何計畫。

　　臺灣總督府為了要將日本及海外品種中，適於臺灣者引進

奔騰年代 │ 牧馬中樞的后里馬場

並推廣，需要技術人員從事研究，所以日治初期從日本請來技術人員及農業專家，大手筆成立研究機構。例如在明治 32 年（1899 年）設臺北農事試驗場；明治 36 年（1903 年）設總督府農業試驗場；又在大正 10 年（1921 年）設中央研究所農業部，將所有實驗機構加以建構。這些研究機構的主要成就在於成功地引進並改良高收穫量、較強之抗疾病及防風害、對肥料更敏感的種子，例如甘蔗、稻米、茶、鳳梨、豬等品種都有相當程度的改良，但是獨缺馬的品種改良計畫。

中央研究所設有各種不同的研究部門，其中之一為農業部，總部設於臺北市。分設有種藝科、農藝化學科、糖業科、植物病理科、應用動物科、畜產科，其中畜產科在嘉義與恆春

兩地，都有成立「種畜所」，負責項目為畜產的品種改良與育成之試驗。

大正 2 年（1913 年）臺灣總督府柳川技師從菲律賓進口特有矮種馬（ポニー），牡馬、牝馬各 2 匹在「恆春種畜所」實施繁殖育成的試驗，大概恆春的氣候與水土和菲律賓類似，這 4 匹熱帶馬的繁殖力特別旺盛，到大正 15 年（1926 年）竟繁衍子孫達 27 匹，實驗的結果達到良好的成績。因此總督府在該年又再進口牡馬 4 匹、牝馬 2 匹，希望達到品種的改良，並將其中 16 匹馬交由農民來飼養，到該年年底，恆春種畜所共有 33 匹馬。

但是從當時的報告也可以看出，日本農業技師對於菲律賓的ポニー種馬（矮種馬），似乎不太滿意，僅能從事馱物與耕田，若與牛的耕田能力相比卻又差一截，因為不好使喚，騎乘與駕車的效能也沒有特別優異，於是又從日本進口洋馬品種，交配繁殖計畫持續進行中。

由此可知清代的臺灣，官府對於畜產的改良與家畜衛生並無積極措施，日治時期所引進的農業改良與家畜衛生系統將農家的家畜飼養，納入了國家管理的範疇，並且運用了西方科學，令品種、育種、飼養管理到衛生醫療，皆呈現不同以往的風貌。

昭和 3 年（1928 年）昭和天皇舉行即位大典，擔任「特命檢閱使」的久邇宮親王，到臺灣參加慶祝典禮，典禮後從臺

北出發，參觀全臺各地，沿途對於臺灣各種事物都充滿好奇的態度，11 月 11 日下榻在臺南旅館，晚宴過後對於當天參觀的水產養殖場的印象深刻，問隨行的總督府官員說，目前的鯛魚和牡蠣的養殖改良如此成功，那麼臺灣現在的馬養殖的情形如何呢？特別關心當時陸軍牝馬的養殖成果，垂詢臺灣總督府有沒有制定「馬政」計畫？

對此突如其來的問題，隨行陪同的獸醫師色部技師回答，因為漢人重視牛的運用，無論耕田或運輸皆以牛為主力，漢人較少養馬；加上漢人自古就有「南船北馬」的習慣，中國華南一帶的馬數量少。根據當時的東京特派記者觀察，所有陪同官員對於突如其來的詢問，都露出驚嚇的表情，負責回答的色部技師說話時，還恐懼到額頭冒出冷汗。

雖然臺灣總督府在臺北、新竹、臺中、臺南、高雄各州都設有農事試驗場與種畜場，從事畜產的指導、試驗、調查的工作，但卻都未觸及馬的養殖與改良。上述可得知，早期日治政府因軍事、運輸或農業活動所需，開始從各地將馬匹移到臺灣試驗，然而，臺灣社會中馬匹多用以國防、運輸為主，一般百姓很難有足夠的金錢購買馬匹作為耕作使用，農耕傳統畜力仍以牛隻為主。

昭和 3 年（1928 年）是一個臺灣養馬政策轉折的契機，隔年，臺灣總督府接受陸軍省委託，進口軍用的牝馬 12 匹、

《朝香、久邇兩宮殿下奉迎記》。（國立臺灣圖書館／提供）

牡馬 1 匹，開始進行育種實驗，這批軍馬交給花蓮港廳的三個移民村——吉野村、豐田村和林田村，指導當地的日本籍農民養馬，鼓勵用馬作為農耕搬運的役畜，後來生下數匹仔馬，發育良好，準備從兩歲開始進行調教。

到底臺灣適不適合養馬？臺灣總督府農務課的官員福井蹄枕，將過去養馬失敗的原因歸咎於「養馬的衛生條件未臻理想，進口的馬匹無法適應臺灣的氣候，唯有與臺灣類似天然條件的菲律賓的原生種馬，才能夠獲得較好的繁殖實驗結果，至於軍馬則需要較為嚴格的生存條件，因此很難在潮溼的環境下生存」。

此外，恆春種畜所的技師帖佐涉，根據他的實務經驗，認為有幾個原因導致臺灣產馬成效不彰，首先，臺灣一直以來都是黃牛和水牛作為主要獸力，無論是農耕或運輸皆深深倚賴；其次，臺灣馬的數量偏少，價格昂貴，農民沒有能力進口，而且也不具備養馬的專業知識；第三，馬一旦受傷，其價值全無，尤其只要傷到腿，就完全無法發揮任何作用；最後，帖佐技師

花蓮港廳的試驗性質養馬計畫成功。（郭双富／提供）

奔騰年代｜牧馬中樞的后里馬場

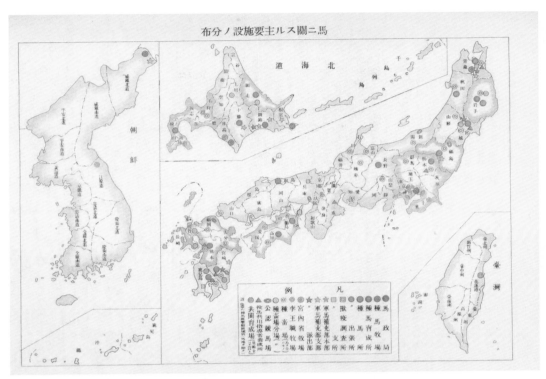

認為馬肉很難吃,也沒人要買馬肉當食物。

　　帖佐技師卻也大聲疾呼,他建議政府應重視養馬事業的開發,因為養馬非立竿見影一蹴可幾的事業,馬對於國防非常重要,可以馱大炮器械等輜重,發生戰事時可立即開赴戰場,但是一匹馬需要四～五年的養成調教,且在戰爭中,軍馬的耗損率也非常驚人,因此認為總督府應該在臺灣大量飼養馬匹,增建更多的種馬場、種馬育成所,平時做好準備。

　　日治時期臺灣的各項經濟發展,最大特色就是要以殖民母國的利益為優先考量,無論從基礎設施、教育制度、公共衛生、

昭和4年(1929年)的日本全國養馬機構調查報告中,臺灣唯有花蓮港廳被列入軍馬養殖場所的紀錄。(郭双富/提供)

日本政府養馬的主要目
的，就是為了建制軍馬
的來源，圖為臺灣山炮
部隊的馬匹，在鶯歌進
行軍事演習，在樹林中
休息。（郭双富／提供）

奔騰年代 | 牧馬中樞的后里馬場

工業以及養馬等各方面來看，都可以見到現代化以及日本化的現象。畜牧方面則由於現代化技術研發與推廣機構的建立，加速了新技術的開發，從而使畜牧業邁向革命的階段，緊接著即將進入馬政的新時代，也見證臺灣養馬是配合母國政策，提供殖民地資源的真實案例。

臺灣農會與臺灣畜產會

日治時期，殖民政府建立農業科學研究機構，引進農業技術，設置農業試驗所，從事臺灣傳統農業調查、農作物品種研發與改良。明治 41 年（1908 年）12 月，臺灣總督府頒布《臺灣農會規則》、《臺灣農會規則施行細則》，農會邁入法制化的開始，官方將各地農會合併為 10 個廳農會，兩年後增為 12 個廳農會。昭和 2 年（1927 年）隨著地方行政區域變更，改為 5 個州農會及 3 個廳農會，農會組織為單級制，農會會長由州廳首長兼任。

昭和 12 年（1937 年），為加強對臺灣農產品的控制，頒布《臺灣農會令》，建立二級制的農會組織，會務完全由政府官員主導，民間代表亦都為認可官方政策者，在官方主導營運下，成為農業推廣的輔助或委託機構。第二次世界大戰後期，再頒布《臺灣農業會令》，配合經濟統制，建立一元化的農業

會，將各產業組合，如畜產會、青菜同業組合、米穀組合、肥料配給組合、農機具製造會社等等，全部併入農會系統，統稱為「農業會」，農業會成為三級組織體系。

　　無論是「農會」時期，抑或是「農業會」時期，農會與官方的農政機關，保持極為密切的關係，新的農業技術皆透過農會予以推廣指導，農會也是殖民政府權力掌控農村社會的重要機制，由上而下奠定新的農業技術，與提升產能、改良品種發展，擴大生產成果。

　　在昭和 12 年（1937 年）12 月 21 日《臺灣畜產會令》頒布前，畜產研究與推廣事務皆歸「農會」管轄，例如昭和 10 年（1935 年）的《臺中州管內概況及事務概要》記載，臺中州農會的業務就有 17 項之多，畜產改良也是農會的業務之一，

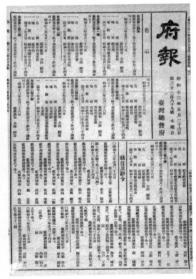

【左】《臺灣畜產會令》。（資料來源：國史館臺灣文獻館）
【右】各州畜產會成立公告。（資料來源：國史館臺灣文獻館）

種類則包含豬、牛、羊、雞、鵝、鴨，與傳染病防治。

《臺灣畜產會令》頒布後，各州畜產會相繼設立，會長由各州知事兼任，副會長則由州事務官兼任。「畜產會」成立的目的，最主要就是為了改良與發展臺灣的畜產業，加強畜產成為專門事業，從農會的管轄項目中獨立出來，畜產會的管轄範圍包含家畜與家禽，畜類以牛（水牛與黃牛）、羊（山羊與綿羊）、豬、馬為主，馬的養殖與推廣也是畜產會新增加的項目；禽類則有雞、鴨、鵝、鳥。

但是弔詭的是，臺中州竟然提前在昭和 11 年（1936 年）8 月率先設立「臺中州畜產協會」，比臺灣總督府頒布律令的日期更早十五個月，而且開宗明義地在成立宗旨說明，為了順應總督府推廣馬事的思想，並配合產馬計畫，與改良、增殖馬匹，由此可以說明養馬是總督府制定的新使命。

臺灣馬政的實施

臺灣原本不產馬，而且因為氣候高溫潮溼，馬也不適合畜養，但萬萬沒想到原本是缺點的種種因素，因為日本的南進政策，對於東南亞進攻的企圖，需要生產適合熱帶氣候的馬匹，臺灣正好就可以派上用場，作為改良適合熱帶氣候的馬匹繁殖地。

昭和 11 年（1936 年）臺灣總督府制定「臺灣馬政計畫」，內容鉅細靡遺。（國立臺灣大學圖書館／提供）

昭和 10 年（1935 年）日本國內第一期馬政計畫結束，獲得全面化的改善與突破，日本的馬匹已大致改良成功。隨著日本在東亞的戰事逐漸升高，馬匹遂成為國防需求上的重要資源。職是之故，為確保日本國內馬匹資源能供給充足，經過昭和 6 年（1931 年）「九一八事變」及昭和 7 年（1932 年）成立偽「滿洲國」後，日本侵華的野心愈加明顯，馬政局於是著手準備「第二次馬政計畫」（1936 年～1965 年），在此同時，也規劃了殖民地的馬政計畫，包含臺灣、朝鮮和樺太在內，擬於臺灣設置馬匹補充中心。

　　早在昭和 9 年（1934 年）5 月，視察臺灣當時馬匹情況的農林省專業技師佐マ田伴久，考察臺灣三週之後，離臺前在臺北的鐵道飯店召開「馬事懇談會」，臺灣總督府派出相關官員 6 人與會，會中佐マ田論及當時臺灣只有 347 匹馬的數量，感到不可思議，是三個殖民地中馬匹數量最少的。但是佐マ田認為臺灣是日本唯一位於南方的殖民地，剛好可以增殖與改良適合熱帶的馬匹，對於臺灣馬政的發展給予很大的期望。

佐マ田伴久技師離臺前，在臺北的鐵道飯店召開「馬事懇談會」，與會人員留影。（郭双富／提供）

為鼓勵養馬，臺灣畜產
會特別出版專書，造就
養馬風潮。（郭双富／
提供）

臺灣方面，總督府殖產局農務課技師高澤壽和中央研究所農業部技師山根甚信等人，則負責擬定「臺灣馬政計畫」（1936 年～ 1965 年）。關於「臺灣馬政」的制定與執行，並不是一開始就很順利，而是充滿許多的曲折。因為昭和 12 年（1937 年）中日正式開戰，日本政府對於各種軍需進行動員，包括殖民地在內皆納入管制，同時展開進行有效的資源開發，第一步就是調查各項資源的現況，以及各殖民地擁有的不同特色資源。

臺灣「馬政計畫」是在考量國防和產業的基礎上，分為第一期十年（1936 年～ 1945 年），和第二期二十年（1946 年～ 1965 年）兩個時期；計畫先在第一期繁殖約 9,000 匹馬，第二期結束時預定增加到 11 萬匹馬的巨額數量。臺灣的「馬政計畫」，不像在日本國內的「改良」馬種，而是「增殖」具有耐

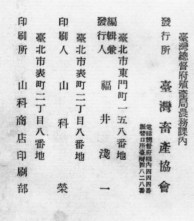

臺灣總督府殖產局農務課內
發行所　臺灣畜產協會
　　　　電話總督府線內內四四四番
　　　　振替口座臺灣第八二四番
編發行輯人兼　臺北市東門町一五八番地
　　　　　　　福井淺一
印刷人　臺北市表町二丁目八番地
　　　　山科榮
印刷所　臺北市表町二丁目八番地
　　　　山科商店印刷部

軍
馬
美
談

臺
灣
畜
產
會

熱性及持久力的馬，主要的方法是進口日本種馬，在島內各地進行交配和繁殖。

除了前文提到的東部花蓮港廳和南部恆春的種馬所之外，也陸續在臺北州、新竹州、臺南州、高雄州等地方設立種馬育成所，但規模最大且最引人注目的，則是昭和13年（1938年），在臺中州豐原郡內埔庄設立的「后里牧場」。

養馬是非常科學且縝密的畜產事業，需要精緻且有系統的配套措施，而非野地放養的粗獷方式，因此早在昭和9年（1934年），當時的臺北帝國大學附屬農林專門部（今位於臺中市的國立中興大學），農學科學生青木喜作在其畢業的論文主題，就是以「養馬」作為專題進行系統的研究，作為全面養馬的前行作業。

該研究是針對臺灣的馬匹管理法進行理論的探討，並了解

臺南州：虎尾乘馬會、北港鍛鍊所、嘉義公園運動場、朴子鍛鍊所、新營鍛鍊所、麻豆鍛鍊所、佳里鍛鍊所、臺南競馬場、新化鍛鍊所。

高雄州：高雄市騎馬會、岡山種付所、高雄種付所、鳳山種付所、旗山種付所、里港種付所、屏東種付所、潮州種付所、東港種付所、恆春種付所。

花蓮港廳種付所是獨立的，不屬於高雄州。

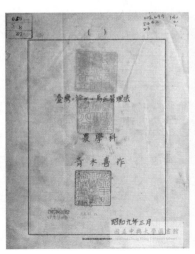
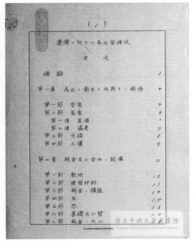

青木喜作的卒業論文，以「養馬」為專題，探討臺灣的馬匹管理法，調查臺灣的實際養馬條件，舉凡氣候地理、馬廄建設環境、場地衛生考量、飼料養分與馬匹訓練等，周詳完備。（資料來源：國立中興大學圖書館）

昭和12年（1937年）
《臺灣畜產會令》公布
後，鼓勵民間養馬，圖
為臺中州大屯郡的霧峰
林家新購馬匹合照，可
看出一口氣購買12匹駿
馬，且已蓋好馬廄。（郭
双富／提供）

馬入
日四

大屯郡下新
昭和十二年十一

臺灣的實際養馬條件調查，從馬廄建設的環境、場地的衛生考量，以及飼料的養分，與馬匹訓練等方面著手，希望對臺灣未來各地的養馬事業提供精確的建議。

研究結果發現，最適合馬匹生長的溫度是在攝氏 5 度，溼度在 40%～70% 是最舒適的，但花蓮港地區的溫度是攝氏 22.3 度，溼度為 80%。臺灣最乾燥的地方恆春溫度是攝氏 24.3 度，溼度為 78%。當時馬匹數量最多的地方是在臺北州，其溫度是攝氏 21.6 度，溼度為 82%，上述所說的溫度與溼度均不適合馬匹的生長。

且臺灣又位於熱帶和亞熱帶，太陽光線非常強烈，因此也特別容易引起馬的眼疾、皮膚、中暑等等病症。因此建議未來養馬需要慎選能適應臺灣氣候的品種，與特別注意環境衛生的維護，以及預防因高溫潮溼帶來的各種疾病，例如強烈陽光造成的眼睛傷害，與溼度過高引起的皮膚病變等，馬匹在飼養管理不當時，最容易得到傳染病。在飼料方面，由於臺灣四季的變化，青草較容易變成乾草，再加上粗飼料的葉幹部分比較豐富，價錢也比較便宜，尤其是有些價值營養高的牧草來自日本內地，若要擴大飼養馬匹的考量，就要從日本進口合適的牧草與飼料。最後建議當時日本正處在戰爭的非常時期，臺灣缺乏軍馬的情況非常緊急，需要積極地制定相關建設與推廣，最後也呼籲總督府獎勵產馬是刻不容緩的事情。

養馬成為顯學，官方經常舉辦各種講習，臺灣總督府福井技師對於養馬有許多寶貴的經驗。
（郭双富／提供）

經過官方大量的培育與積極獎勵民間，到昭和 20 年
（1945 年）的統計，雖然未達到目標的 9,000 匹，但也增加
為數不少的馬，尤其是鼓勵民間養馬，造成一股風潮，在當
時從臺灣頭到臺灣尾都可以見到百姓騎馬的身影，甚至還有
自家用的馬車。

臺灣馬政計畫實施後的馬數量增減表

年份	馬政計畫的馬數	實際的總馬數
1936 年	690	637
1937 年	990	924
1938 年	1,440	1,573
1939 年	2,049	2,559
1940 年	2,822	3,720
1941 年	3,771	3,333
1942 年	4,910	3,227
1943 年	6,256	2,969
1944 年	7,842	2,311
1945 年	9,300	1,128

（資料來源：岡崎滋樹，〈植民地畜産部門から再考する戦前昭和期の資源増産
計画―台湾馬政計画（1936 ～ 1945 年）を中心に―〉，頁 49）

從上表中可以看出，在昭和 15 年（1940 年）是臺灣馬產
的最高峰，當年數量高達 3,720 匹，隔年就爆發日本偷襲美國
珍珠港海軍基地，擴大戰事延長到東南亞各地，臺灣生產的馬
匹也被徵調到海外支援，因此馬的數量逐年減少。

【上】臺灣和日本的做法相同，當馬的數量達到一定程度時，也開始重視素質評比，圖為昭和18年（1943年）報紙刊登馬匹品評競賽的結果。（郭双富／提供）

【下】政府為鼓勵民間養馬，制定獎勵政策，這張收據是當時撥發給臺中州潭子庄的養馬者林朝令，獎金為5円76錢。（郭双富／提供）

【上】經推廣養馬之後，馬的數量增加，圖為臺北火車站前等待客人乘坐的出租馬車，類似今日的計程車，可載送客人到達目的地。（郭双富／提供）

【中】臺中州豐原郡張喬蔭家族的自用馬車，可看出私人馬車與出租馬車的樣式不同。（郭双富／提供）

【下】日治後期民間養馬蔚為風氣，臺中州有養馬的朋友相約騎馬出遊。（郭双富／提供）

【左】騎馬對臺灣人而言是新奇的經驗，圖為陳友第一次騎馬的紀錄，從照片中判斷陳友應該是中學生，馬鞍只是普通的墊子，可能是參加實習課程時的騎馬照。（郭双富／提供）

【右】日治時期連女生都騎馬，且沒有馬鞍。圖為昭和17年（1942年）臺中州豐原郡大雅庄張姓望族的閨女。（郭双富／提供）

昭和 18 年（1943 年）
二次大戰如火如荼進
行，日本軍方強行徵收
民間馬匹，並舉辦「獻
納儀式」，筆者祖父的
愛駒應該在這個時間點
被強行帶走。（郭双富
／提供）

筆者祖父在日治時期也曾養過一匹馬，應該是在這個時候被軍方徵召前往戰地，祖父養馬多年與馬產生深厚的感情，相信當時主人與愛馬要分離的時刻，一定是肝腸寸斷傷心至極，雖然筆者當年無緣聽到祖父親自口述，日後只是聽聞父執輩轉述，但是聽著聽著也不禁流下眼淚，想像祖父當年看著一起生活多年的駿馬，被日本軍官從馬廄裡強行拉走，只能目送持續悲鳴的愛駒走遠，筆者實在不忍繼續想像後來的畫面，更可悲的是後來愛馬的下落根本無從詢問。

始政四十週年博覽會的「馬產館」

　　明治維新大量吸收西洋文化，舉辦博覽會的風潮在日本國內逐漸形成；日治時期臺灣總督府除了參與日本國內的各種博覽會外，甚至也組團參加外國的博覽會，如明治 33 年（1900年）參加巴黎萬國博覽會、明治 35 年（1902 年）參加河內博覽會、明治 43 年（1910 年）參加聖路易博覽會等。

　　同時，也將各類型博覽會引進臺灣，各式展覽會不僅次數頻繁，種類也相當多元，如規模較小的品評會、規模較大的共進會，以及特定主題之衛生展覽會、教育展覽會、產業展覽會、畜產展覽會等，其中以大正 5 年（1916 年）在臺北舉辦的「臺灣勸業共進會」最具規模。

　　昭和 10 年（1935 年）秋，為了展示殖民統治四十週年的成果，也為呈現日本整體國力的南進政策成果，總督府動員龐大的人力、物力，舉辦「始政四十週年記念博覽會」，為日治時期規模最大的博覽會，五十天的會期參觀人次多達三百多萬人。

　　始政四十週年記念臺灣博覽會，簡稱「臺博會」，於該年10 月 10 日至 11 月 28 日止，在臺灣各地（以臺北市為主場地）所舉辦的博覽會，也是臺灣有史以來第一次舉辦大型博覽會。臺灣第二次舉辦大型博覽會的時間，則是要到戰後的 1948 年，

【左】昭和 10 年（1935年）臺博會「馬產館」附設的兒童馬場，五十日期間吸引一萬餘人次騎乘體驗。（郭双富／提供）

【右】「馬產館」的大門口，特別以石膏製作的天馬模型立面，門口設計為馬蹄形。（郭双富／提供）

臺灣省政府在臺北市舉辦的「臺灣省博覽會」；第三次的大型博覽會則是在 2010 年，是以臺北市為主場地的國際花卉博覽會。最重要的是 2018 年～ 2019 年，由臺中市政府規劃執行的 2018 臺中「世界花卉博覽會」，主要場地之一就是在后里馬場。

「臺博會」在臺北市共有三大主會場與一個分會場，其中分會場設在大稻埕，占地 4,000 坪，位於今太平國小北邊空地。大稻埕原本無規劃展場，因臺籍人士要求，臺灣總督府將原本部分館舍移置大稻埕，其中為配合即將執行的「馬政計畫」，特別規劃了「馬產館」。

馬產館占地約 100 坪，原本預定開設在第一會場，主要為配合日本國內的馬政計畫，與臺灣推廣馬政計畫，宣傳馬事思想，由總督府殖產局、軍部、畜產協會、競馬協會共同籌辦布置。為了引起觀眾注意，強化馬產館的特色所在，該館的建築物外觀突出石膏製的天馬模型立面，展其雙翼，一翼載兵器、一翼載米袋，入口處則特別設計為馬蹄形，充分展現馬所背負

國防與產業的重大使命。

　　展覽館內陳列有關馬事資料，展示馬運用於交通、農耕、搬運、軍事各方面的效能，利用展出增強民眾對馬事的普遍認識。展覽館外設有兒童馬場，特別從恆春種馬場借來菲律賓種小型馬，方便參觀兒童的騎乘，估計會期間約有一萬餘人的騎乘紀錄。

　　日治時期總督府對臺灣產馬事業進行積極獎勵之時，利用博覽會宣傳馬事，可說是別具意義。

昭和 18 年（1943 年）4 月 7 日慶祝「愛馬日」活動，臺中州軍方與民間共同騎馬的盛況，攝於臺中練兵場內（今臺中市干城）。（郭双富／提供）

第三章 Chapter 3

日本賽馬與臺灣賽馬

在西方賽馬形式被帶到日本之前，東瀛自古以來，各地民間在神社的祭典時，就會舉辦節日賽馬活動，共有三種比賽類型，分別是走馬、競馬和馳馬。

日本古代的賽馬

　　在西方賽馬形式被帶到日本之前，東瀛自古以來，各地民間在神社的祭典時，就會舉辦節日賽馬活動，共有三種比賽類型，分別是走馬、競馬和馳馬。原本只是民間的傳統活動，但文武天皇大寶元年（701 年）在端午佳節這一天親自出席在武德殿所舉行的賽馬活動，由於天皇親臨比賽會場，皇家侍衛隊馬威赫赫軍容壯盛，眾大臣莫不盛裝與會冠蓋雲集，各比賽選手也都渾身解數，希望能在天皇與眾官員面前一展實力，競爭異常激烈，勝負更常是在一個呼吸之間決定。因為賽馬活動提升到皇家等級的規模，自然也帶動民間熱中於各項競馬比賽，經常在神社的節慶時隆重舉行。

　　此外，在日本史上的奈良時期，開始有一種奉獻馬匹祈求勝利平安的信仰。奉獻者從普通平民到皇室成員都有，馬本身就很昂貴，且養馬是一件所費不貲的事情，馬匹需要非常小心地照顧，所以在規模較小的神社，奉獻活馬對捐贈者與接受者來說，都是一個很大的負擔，因此就逐漸被馬的模型所取代，以同樣比例大小的木頭馬雕像進行奉獻，稱之為「神馬」。雖然只是馬的模型雕像，對於「神馬」也不可以隨便處置，神社也要籌蓋「神馬廄」，此為日本特有的風俗，向神社奉納馬匹的祈願行為。

【左】捐獻木馬的習俗後改為捐獻銅馬，圖為位於日本滋賀縣近江日牟禮八幡神社的銅馬。（林慶弧／攝）
【右】位於臺中公園內臺中神社的神馬。（郭双富／提供）

日本宮島的嚴島神社，有獻納給神社的木馬，與特別建蓋供神馬住宿的馬廄。（林慶弧／攝）

明治維新後的西式賽馬

　　江戶時代末期，外國人聚居在橫濱港，在居留地設置競馬場，開始西式的賽馬活動，成為當時西方人士的社交場所。原本只是節慶的活動項目，後來因為建設橢圓形的正式競賽跑道，與豪華社交場地和高級西式餐廳，成立 Race club 組織，賽馬漸成為固定的日常活動，更是歐美人士間的社交俱樂部。

　　爾後，日本人自己也主辦賽馬活動，最早是在明治 3 年（1870 年）舉行的「九段賽馬」，此賽馬是在兵部省主管的靖國神社裡舉行，賽馬兼招魂祭典具有濃厚軍方色彩，後來演變成為昭和 13 年（1938 年）開始舉辦的「軍馬祭」。明治 12 年（1879 年）有貴族在華族會館創設「共同賽馬會」，在東京的

日本強調競馬活動，圖為日本京都古書店的一套《日本馬術史》專書。（林慶弧／攝）

戶山學校賽馬場舉行第一回賽馬，後來為擴大舉辦而移到上野的馬場，因為場地擴大且設施齊全，規模愈發興盛，吸引日本皇室、政界、財界、軍方等參加，皇族與各國公使貴賓到場觀看的人逐漸增多，加上皇室及農林省提供獎勵，因此名聲逐漸高漲。

明治 13 年（1880 年）又有「興農賽馬會社」的設立，兩年後明治天皇親臨觀看，讓賽馬活動更加旺盛。此外，日本各地也有賽馬的舉行，如北海道的札幌、函館的賽馬俱樂部；九州的宮崎、鹿兒島縣的賽馬會；與福島縣的產馬會社等。上述明治初期的賽馬，經費來源僅來自觀眾入場費、馬的出賽費及各會社的會費，此外別無經費收入，因此賽馬會的後期，無法支應各項維持費用，發生經營困難的窘境，最後只有解散的命運。

加入「博弈」色彩的賽馬活動

就在明治 39 年（1906 年）馬政計畫的浪頭上，有人認為藉由振興賽馬，是可以改良馬種的方法之一，在朝野名士的鼓吹奔走下，同年創立「東京賽馬會」。東京賽馬會鑑於初期各地賽馬會社的失敗，最主要是經濟的來源困難，於是向政府請求發行「馬券」（賽馬彩票），內閣急於達到馬匹改良的目的，

日本舉辦競馬比賽，請
注意該馬場設有大面積
的鏡子，讓觀眾增加臨
場感。（郭双富／提供）

日本的競馬場跑道平
整，不會造成塵土飛揚。
（郭双富／提供）

於是同意馬券的發行，發布第 10 號的閣令——開辦賽馬為目
的的辦法，東京賽馬會在同年 11 月開辦第一次的秋季馬賽，
意外地獲得好成績，盈餘總額達到 96 萬餘円，由於東京賽馬
會的激勵，以販賣馬券為目的賽馬會競相成立，在兩年間，全
日本成立約兩百多個賽馬會或俱樂部，但實際上，內閣對於發
行賽馬的彩券卻沒有任何有效的管理。

　　上述賽馬熱的振興，對於馬種的生產改良，的確具有正面
的影響，但是帶有博弈色彩的馬券，讓日本陷於沸騰的瘋狂熱
潮中，有一夜致富者，也有傾家蕩產者。

　　賽馬博弈和日本原有的禁止賭博法律，明顯地互相衝突；
而且賽馬也對當時社會產生許多負面的影響，造成許多新的社
會與家庭問題，因此，明治 41 年（1908 年）10 月 6 日內閣又

下令禁止發行馬券。

馬券被禁後，造成各地賽馬會衰微，和產馬地區經濟狀態的萎縮，隔年各地賽馬會社聯合起來，向帝國議會請願准許販賣馬券的賽馬法案。

該法案雖在眾議院獲得通過，但遭到貴族院的否決，此後各賽馬會僅靠政府的補助金維持基本營運。經過十三年持續地請願奮鬥後，大正12年（1923年）日本政府終於制定《賽馬法》，准許馬券的販賣發行；昭和2年（1927年）又公布《地方賽馬規則》，日本的賽馬熱又再次引起博弈的熱潮。直到今日，日本各地仍有賽馬的舉辦，如今的賽馬不再僅僅是成人的一種休閒娛樂，賽馬場內設立了各種遊玩設施，也經常舉行各項馬事展覽，滿足更多人體驗賽馬的樂趣。

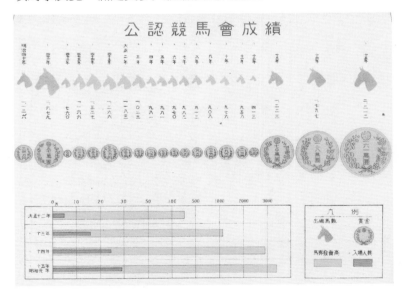

競馬的高額彩金吸引民眾參與，也替日本國庫進帳滿盈。（郭双富／提供）

臺灣賽馬的緣起與演變

　　關於臺灣賽馬的研究，早在昭和 16 年（1941 年）就已經有西岡茂嗣發表論文，西岡氏就讀臺北帝國大學附屬農林專門部（現國立中興大學），他從農學科畢業，針對臺灣賽馬作為研究主題，進行系統性的探討。

　　根據西岡氏的研究，大正 12 年（1923 年）來自九州久留米市的興行師，從日本馬場引進了淘汰引退的賽馬 23 匹，及騎師數名在全臺各地巡迴表演，第一站在臺北的芳乃館前元廣場，搭設製作一個長 400 公尺、寬 13 公尺的臨時跑道，臺北武德會馬術部的會員，及 40 匹馬也共同參加此次的賽馬演出，武德會馬術部並特別表演各項馬術；雖然巡迴各地的賽馬大多

昭和 16 年（1941 年）
西岡茂嗣發表以臺灣賽馬為主題的畢業論文。
（國立中興大學圖書館／提供）

奔騰年代｜牧馬中樞的后里馬場

數是老馬，仍然是一次轟動臺灣的成功表演活動。

　　昭和 3 年（1928 年）秋天，透過當時陸軍獸醫部長等人的努力，同年 11 月 24、25 日在臺北圓山運動場（今中山足球場）舉辦「優勝馬投票式」賽馬活動，當時彩票票券面額 50 錢，並在舉辦同時介紹軍隊馬術，引起民眾興趣，成果豐碩，這是臺灣第一次正式賽馬活動的開端。在臺北開辦賽馬之後，新竹、臺中、嘉義、臺南、高雄及屏東，也分別由不同團體主辦了賽馬的活動，臺灣賽馬開始盛行，初步階段受到有識之士及執政當局的諸多援助。

　　但是剛開始的賽馬場地都是臨時搭建的，有些借用公園的一角，有些借用運動場跑道，更多是商借軍方的練兵場，這些跑道從 400 到 600 公尺不等。但隨著賽馬愈來愈盛行，吸引更多的人潮參與，開始有固定馬場的建設，首先是昭和 5 年（1930 年）秋天，嘉義與屏東完成 800 公尺的常設競馬場，新竹、高雄也陸續完成。

　　當時臺灣總督府並沒有關於賽馬的法規，後來依據日本國內大正 12 年（1923 年）法律第 47 號的《賽馬法》，發布了「關於賽馬開辦優勝馬投票施行」的暫時管理辦法，規定馬券只能在賽馬開辦時，隨入場券添加少量的彩金押注，中彩者只能持券到特定商店兌換獎品，不可以兌換現金，此外禁止任何形式的馬券發行，並嚴格取締。從當時馬券的收入分析，參與賽馬

臺灣早期的馬場設施，跑道是砂土，導致塵土飛揚。（郭双富／提供）

奔騰年代 │ 牧馬中樞的后里馬場

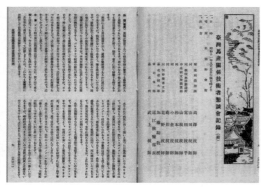

【左】《臺灣之畜產》
是鼓吹臺灣賽馬的傳聲
筒，也是臺灣畜產會發
行的刊物。（郭双富／
提供）

【右】《臺灣之畜產》
內文〈臺灣馬產關係技
術者懇談會記錄〉。（郭
双富／提供）

活動的人數，有愈來愈增多的趨勢，民眾對於賽馬活動興趣的
增高，達到官方欲普及馬事思想的目的，確立臺灣獎勵馬產的
基礎。

　　由於臺灣各地自行舉辦賽馬，且各自制定規約，規定本身
賽馬活動的審判、騎手等項目，各組織間對於賽馬活動舉辦的
日程、競賽方式並沒有統一，因此為加強橫向聯絡與制度的統
一，臺北馬事協會、臺中產馬會、嘉義產馬會、臺南愛馬會、
高雄產馬會及屏東愛馬會等，乃在昭和6年（1931年）成立「臺
灣賽馬協會」，並制定「臺灣賽馬協會規約」及「賽馬施行規
程」，對於全臺賽馬的制度、日期、辦法及裁判規則等，皆有
明確的規範。

　　「臺灣賽馬協會」成立後，進一步向總督府提出「賽馬法
施行陳情書」，陳情書並附錄包括陸軍省的「做為軍用利器的
馬」、農林省的「役馬的經濟價值」以及「臺灣的產馬」等官
方文件，希望總督府能促進賽馬法頒布，讓賽馬活動有明確的

法規可以遵循。賽馬界人士並到朝鮮、滿洲及歐美各國進行考察，此外也發動學術界和畜產界對於賽馬的價值進行鼓吹，目前所蒐集到的參考資料，就有數十篇之多。

經過多年努力，終於在昭和 13 年（1938 年）由臺灣總督小林躋造發布《臺灣競馬令》及《臺灣競馬令施行細則》，讓賽馬完全合法化且受到政府的監督與管理，所有比賽的公正性與公平性獲得保障，規定競馬場需有周長 1,600 公尺以上、寬 30 公尺以上的跑道。最重要的是，此時期的中獎馬券可以直接兌換現金，而非換取獎品，高彩金的馬券吸引更多人熱中賽馬，臺灣總督府也能從中收到一筆高額的稅收。

實際上，日本賽馬的主要目的在於改良品種、增加產殖與普及馬事的思想，從中選擇優良勝馬作為種馬。臺灣的賽馬原本也希望能獲致相同的結果，但事與願違，臺灣每年的賽馬，基本上都是從日本國內引進「抽籤馬」及「呼馬」、「速步馬」等，無法自行生產與訓練優良的賽馬，競賽馬仰賴日本國內進口。

直到日本執行第二次馬政計畫時，國內實施《種馬統制法》及《軍馬資源保護法》後，無法再自由引進賽馬，後來必須透過臺灣總督府的繁瑣申請手續，獲得引進許可證明、馬籍謄本等申請文件後，才能向日本國內購買，因此臺灣各地畜產會開始積極自行生產與訓練賽馬，經過幾年的努力後，到昭和

關於賽馬的鼓吹文章

這段期間可說是臺灣關於賽馬最熱中的時代，《臺灣之畜產》和《臺灣畜產會會報》上發表的文章多達數十篇，計有〈馬的改良增殖與賽馬〉、〈臺灣賽馬管見〉、〈關於臺灣的馬〉、〈馬券復活運動的回顧〉、〈馬事懇談會記事〉、〈臺灣參與本國的馬政計畫〉、〈內地產馬地的近況視察〉、〈歐美諸國的馬政及滿蒙的產馬〉、〈朝鮮、南九州及沖繩地方的馬產〉、〈馬產計畫樹立之際的臺灣〉、〈金子會長的內地賽馬視察〉、〈賽馬一私見〉等等。

【左】臺灣總督府調降馬券稅的公告。（國史館臺灣文獻館／提供）

【右】《臺灣之畜產》內文〈競馬及牧野講習會記事〉之部分。（郭双富／提供）

競馬及牧野講習會記事

昭和十二年度臨時事業として本協會主催講習會は、內地から講師三名を招聘して開催する豫定であった處、時局柄當初の計畫に變更の餘儀なき事となり、競馬の講師として東京帝大の松葉博士を招聘し得たのみであるから、更に殖產局の小川技師を牧野の講師として之に加へ、二月九日から二月二十一日に亙つて各州に講習會を開き、主として畜產技術員を聽講生とし、其の數六百餘名に達する盛況であつた。

此の講習會に就ては、臺灣競馬協會の後援による處が多い、又講師たる松葉博士も多忙な時期に態々本島馬政の將來に遙々御出張を願ひ、各地に多忙極まる切り詰めた時間に講義を願ひ、然も熱心に國の內外に於ける事情を廣く深く講ぜられて、聽講者の感銘を深からしめた事は、本協會として洵に豫期以上の成績として感謝する次第である。

此の間松葉博士の講ぜられた內容は廣汎であるが、其の要旨を次に揭載して、聽講の機會を得なかった人々のため、又將來の記錄として置く次第である。（文責在記者）

競馬及牧野講習會記事

七 〔九五九〕

16 年（1941 年）時才不需要仰賴從日本國內進口。

　　賽馬有許多嚴謹的規則，舉凡比賽季節與天數、比賽項目、賽馬編組與馬體檢查的日期及場所、獎金詳細內容、編組方法及其他賽馬相關事項（馬鞍及鞍褥、騎手與其裝備等）需在比賽前七日公布。但是最重要的還是關於馬券的規定，馬券分為單勝式及複勝式兩種押注，馬券的發行，可以直接領取獎金，但也嚴格禁止未成年人、學生、賽馬的工作人員、騎手、馬丁及參與賽馬事務的人員購買。馬券的發行，美其名是提倡對於馬匹的鑑識與知識向上提升，以及資助馬匹的改良與增殖等，但是實際上購買馬券者，都是抱著想要一圓快速致富的美夢。昭和 16 年（1941 年），太平洋戰爭爆發，昭和 18 年（1943 年）為了獎勵產馬，特別調降馬券稅。根據《臺灣日日新報》、《臺灣日報》，臺灣各地的競馬場在昭和 18 年（1943 年）的春、秋兩季仍舉辦各七日的賽馬，臺灣的賽馬舉辦到昭和 19 年（1944 年）2 月為止。

臺灣賽馬的盛況

　　臺灣隨著日本的賽馬熱潮，從大正 12 年（1923 年）在臺北的首次賽馬後，直到戰爭結束前的昭和 20 年（1945 年），賽馬的活動從未間斷過，而且在全臺灣共有七處賽馬競賽場

地，分別是臺北、新竹、臺中、嘉義、臺南、高雄和屏東，賽馬成為當時臺灣士紳與庶民最喜愛的休閒活動之一。

根據林獻堂的《灌園先生日記》記載，他也是「臺中馬事協會」的正會員，只要在時間的許可下，臺中州每年春、秋二季舉辦的賽馬，他都會邀約家人或朋友，前往位於現在的干城（臺中練兵場），與烏日成功嶺營區（大肚山練兵場），這兩處賽馬場觀賞賽馬，每次觀賞賽馬也都會下賭注，互有輸贏，不過金額都不大，純粹當成休閒娛樂。甚至在他到外地或出國時，無論是英國或日本，他也都會前往觀賞不同國家的賽馬，有次到東京看到川越賽馬場內多達萬人，甚覺不可思議。還有一次在英國約克郡旅遊，因為該地正舉行賽馬，所有旅館皆客

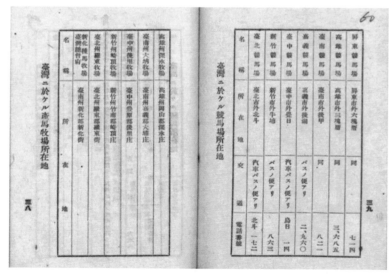

《馬事便覽》中所列的臺灣競馬場和產馬牧場。（中央研究院臺灣史研究所／提供）

《灌園先生日記》裡的賽馬

1927.8.24 英國約克
本日有競馬會，他處來觀之人甚夥，ホテル幾為充滿，合本市之觀眾當有十萬以上。余等午餐後閒行市上，往觀競馬之人，電車幾無立錐之地，將於二時起，余等又因時間關係，不及往觀，乘二時半之車返倫敦。

1929.11.11 十二時餘抵
臺中，即往觀競馬會。

1930.4.27 二時半招五弟、伊若往臺中看競馬。
1930.10.18 猶龍、雲龍往臺中看競馬，至晚方歸。

1935.10.19 臺中馬事協會副會長中津德治昨夜力勸余往觀競馬，今朝招瑞騰、資彬、正元、正亨、成龍往陸軍練兵場觀競馬。

1934.4.7 日本東京
歸途至中山下車看競馬，觀眾甚夥，約萬數千人，余與培火、柏齡僅看兩回。

奔騰年代│牧馬中樞的后里馬場

滿，而返回倫敦住宿。

　　全臺灣各地的競馬場，分別是臺北的北投競馬場，位於今復興崗國防大學政治作戰學院（今北投區文化里）；新竹香山競馬場，也是日治時期最早完成的大競馬場，現為香山工業區；嘉義後湖競馬場（今嘉義市東區後湖里），現為後湖工業區的一部分；臺南後甲競馬場，位於今東光國小及周圍區域；高雄灣仔內競馬場，現今的灣中、灣華、灣勝與灣利里，原屬農業區，現已多為工業區及住宅區；屏東六塊厝競馬場，位於六塊厝火車站附近。

臺中州的賽馬活動

　　本文特別就臺中州的競馬活動進行深入的說明，「臺中賽馬會」成立於昭和4年（1929年），當時舉辦賽馬的團體是「臺中產馬會」，會長是日本人二瓶源吉，賽馬場早期借用臺中練兵場（今干城），先是直線形長500公尺、寬15公尺的跑道，昭和7年（1932年）擴大為800公尺的橢圓形跑道。

　　昭和11年（1936年）大肚山競馬場完成長1,600公尺、寬30公尺的跑道後，則固定在此地舉行，比賽改由「臺中州畜產會」主辦，會長為臺中州知事松岡一衛。昭和16年（1941年），臺中商業專修學校（今國立臺中科技大學），還曾派學

1935.10.27 資彬招余及瑞騰、季芳、阿紀等往臺中看競馬，場中遇中津、泗川、瑞火、錫銘、亦佑、集璧等。在場中午餐，自一回看至十二回，買馬票九回，計損四元八角。

1937.10.4 日本東京
天氣晴朗，午後二時招藤井、成章由野方驛出發，往川越觀競馬。車行五十三分間乃至，觀眾約近萬人，頗為雜踏〔沓〕，僅觀二回而返，車中人滿。

1941.6.28 臺北
十一時乃返北投永樂別館，猶龍先數十分前到此，蓋為看競馬而來也。

1941.6.29 臺北
猶龍、天佑同余朝餐後，往看競馬，言觀競馬者萬數千人，一回買馬票勝負之金額多至三、四萬円，真一大賭博也。

奔騰年代｜牧馬中樞的后里馬場

【左】臺灣賽馬的騎手與駿馬，攝於臺中州大肚山競馬場。（郭双富／提供）

【右】每次賽馬前，都會在報紙刊登廣告。（郭双富／提供）

臺中州大肚山競馬場的
激烈賽事，該回合共有
11匹賽馬競爭。（郭双
富／提供）

奔騰年代 │ 牧馬中樞的后里馬場

臺中操馬埕
位於臺中市東區信義里
的市立長春公園，是清
朝的跑馬訓練場。

臺中跑馬場
位於臺中市南區萬安里
正義街附近，是日治時
期的跑馬場，位於其對
面的臺中市林氏宗廟落
成典禮當天，因為恰逢
陸軍進行騎馬演習，只
好在宗廟後方拍攝團體
照；戰後該處成為團管
區司令部。

生至競馬場，實習馬券買賣作業。

　　臺中州廳的畜產事務，大正9年（1920年）歸「農務係」掌管，管理的項目有畜產、牧場、獸疫預防、畜牛保健等。昭和11年（1936年）增設「畜產係」，業務範圍更加廣泛，凡牛、豬、家禽畜飼養、產馬與競馬、乳牛、畜產加工、種畜場、家畜市場、畜產講習及品評會、畜產團體、豬舍、畜舍、牧草、家畜衛生等相關事宜均含括在內。

　　昭和12年（1937年）公布《臺灣畜產會令》，翌年頒布《臺灣畜產會令施行規則》後，畜產事務由「臺灣畜產會」掌理之。在各街庄則設置「畜產組合」，組合長由街庄長擔任之。「臺中州畜產會」會長就是由臺中州知事兼任，從成立第一年的歲出各項畜產事業費的比重，可以看出畜產會的歲出決算依序為

臺灣賽馬吸引民眾前往觀賽，圖中可見臺中練兵場內跑馬道。（郭双富／提供）

馬、牛、豬，其中，馬事的決算遠較其他家畜為高，這主要是與因應大東亞戰爭而推動的馬政計畫有關。

　　「臺中州畜產會」實際上就是主導賽馬的單位，以預算17萬円，進行大肚山競馬場的建設，首先開闢符合正規賽馬的跑道，周邊籌蓋馬廄八棟，最多能容納80匹賽馬，隔離馬廄一棟、馬治療所一棟、裝蹄所一棟、糧草倉庫一棟，以上都是木造建築；增設一幢彩票販賣所兼兌獎處，位置就在原來青年道場的正對面，這棟建築物以紅磚白堊土為材料，當時被取名為「大殿堂」；此外，為了符合新的時代趨勢，也在大門口增設乘車等候區，公共汽車可以直接開上山；為了觀賽的舒適性，還建構了大看臺，觀眾可以遮陽且居高臨下，看得更加清楚比賽的結果。而原來在市區內的競馬場，保留成為臺中州畜產會

臺中新設競馬場竣工す

十月三十一日臺中州畜產協會主催秋季競馬大會開會と共に新設千六百米コースの競馬場開きが催された。巾三十米、傾斜コース、加ふるに眺望絶佳大肚山麓に位置し、内地公認競馬の其に彷彿たるものがある。

此の日來賓として一番ヶ瀨殖產局農務課長臨席、主催者側臺中州知事初め關係職員參列の下に盛大な式を擧行、花やかなレースは順次氣持良く進行し、觀衆正に數萬、盛大其物の競馬會であつた。從て馬券發賣額も從來の三倍を突破し、豫想を裏切つて初日から主催者側を遑てさした事は實に痛快であつた。次囘は是非コースを綠化したいものである。

昭和11年（1936年）11月該期的《臺灣之畜產》，刊登臺中大肚山競馬場開始比賽。（郭双富／提供）

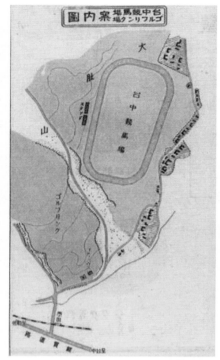

【上】臺中州競馬場案內圖，位於大肚山（今成功嶺基地），在地圖下方可以發現縱貫鐵路和臺一線。（郭双富／提供）

【下】二次大戰結束前，美軍空拍臺中競馬場的空照圖。（資料來源：中央研究院）

的「乘馬練習所」，作為鼓吹與推廣騎馬的地方。

臺中競馬場之所以選址在大肚山的山麓，最主要的原因是腹地廣大，可以擴充標準賽馬跑道，也能持續建設相關的新建築物；其次是交通方便，大肚山練兵場的山腳下有縱貫鐵路和大馬路經過，還有一個學田車站，可以同時運輸大量人潮；第三個原因，該處已經是臺中州產業組合青年道場的廣大開發場域，有宿舍、禮堂、武道館、射箭場、騎馬射箭場，還有大食堂可以提供伙食，因此該處是一個適合開發競馬場的地點，最重要的是土地都是由臺中州產業組合無償提供使用。

昭和11年（1936年）秋季賽馬，首次在大肚山競馬場舉辦，當天共有50匹駿馬進行比賽，其中12匹是從日本進口的新購馬。馬券最高額一張5円，若是押注獲勝，賞金高達3萬7千円，投資報酬率高得嚇人，因此吸引上萬人前往觀賽，日本人和臺灣人的比率剛好一半，最後最高彩金的馬券由日本人獨得，成為好幾天的街談巷議。

臺中州大肚山競馬場每年皆於春、秋兩個季節舉辦賽馬，每次比賽4～5日，有時會多加一次賽事。競馬場平時沒有比賽，是臺中州畜產會重要的

奔騰年代│牧馬中樞的后里馬場

繁殖飼養與訓練管理馬匹的主要場所，進行馬匹的育成調教中心，配置獸醫一名與技手兩名，還有雇員數名，同時也進行民間的馬匹交配繁殖的任務，這些與賽馬無關的工作項目在昭和13年（1938年）后里牧場完工後，就全部轉移到后里牧場。

【上】臺中商業專修學校學生，到臺中大肚山競馬場，實習馬券買賣作業。（郭双富／提供）

【下】位於大肚山的臺中州競馬場，正在舉行熱烈的比賽，看臺上和跑道旁都是群眾。（國家圖書館／提供）

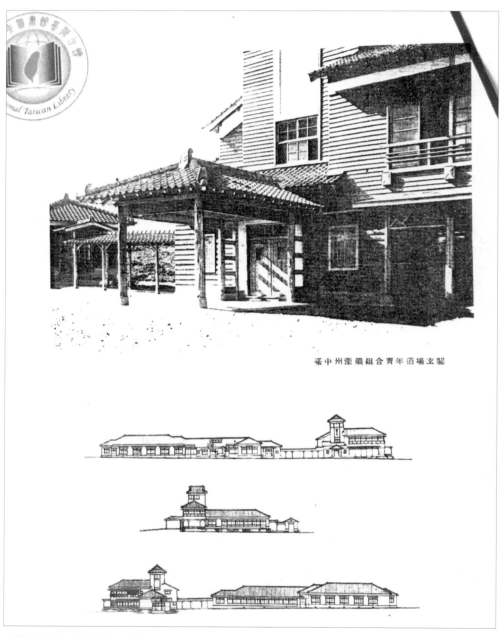

臺中州產業組合青年道場玄關

大肚山的臺中州產業組合的青年道場建築群。（國立臺灣圖書館／提供）

臺中州產業組合青年道場

臺中州青年馬場及相關位置。（國立臺灣圖書館／提供）

｜插曲｜金土長大了，第一次騎馬

　　林金土從「曙公學校」（今臺中市東區臺中國民小學）畢業後，和阿爸阿母商量，後來決定報考「后里實踐農業學校」，希望能學習和養馬相關的技能，經過一番努力，終於在昭和 17 年（1942 年）入學，成為改制後的第一屆學生，就讀畜牧科。

　　這一天金土懷著興奮的心情，內心澎湃不已，自從多年前在臺中火車站看到馬的大遊行之後，終於自己也有機會可以騎馬了。一早醒來，梳洗後做完例行的早晨打掃整理環境，和同學們一起進到食堂用早餐。餐後近藤先生就集合大家，出發前往后里大牧場，走到馬場內的馬廄前時，沒想到諏訪校長早就站在馬廄外面等著大家，首先諏訪校長告訴同學今天務必認真

昭和 17 年（1942 年）后里實踐農業學校畢業紀念冊，屆數的算法從創校開始算起。（郭双富／原件提供，國立臺灣大學圖書館／保存）

學習，近藤先生上教室課時，教的內容都是非常重要的，要好好記在心裡，今天要讓各位都實際體驗如何騎馬，要仔細看清楚每一個動作。

近藤先生再次複習課堂上講的重點：

1. 馬是有靈性的動物，要心存感激，一定要善待馬。
2. 要以愛心對待馬匹，才能獲得馬對你的信任。
3. 要先站在馬前的側邊，輕拍馬頸，千萬不要站在馬的後面。

接著，近藤先生牽出一匹駿馬，他說這匹馬的名字叫「鈴鹿」（すずか，發音 Suzuka），也就是說牠跑得比鹿還要快，你們現在還不能騎這匹。現在我來示範，首先，騎馬的時候要先檢查馬鞍是否綁緊，肚帶是否確實束好，注意全身的重心，要保持在馬上的平衡；第二，不可以把兩腳完全踏入鐙內，以

諏訪校長的照片。（郭双富／原件提供，國立臺灣大學圖書館／保存）

金土入學時的校門口。（郭双富／原件提供，國立臺灣大學圖書館／保存）

腳的前部及腳趾踏住馬鐙即可，如此就可以撐住全身重量；再來，要輕柔且溫和地控制馬，因為馬口很敏感，粗猛地拉韁，容易使馬受到傷害。

講完這些注意事項後，近藤先生準備要上馬。

近藤先生說，我們通常從馬的左側上馬鞍，站在馬肩的稍後方，把韁繩放在左手，拉緊韁繩，使馬不致走動。把右手置於馬鞍上，左腳尖踏入鐙內，右腳尖用力踏地，使身體騰起，右腿趁勢跨過馬鞍，右腳尖套入右面的鐙裡，如此就完成上馬的動作。

當近藤先生邊講解邊上馬，不費吹灰之力一氣呵成就坐在馬鞍上，金土和同學們不禁都鼓起掌來。

接下來，兩兩一組學如何上馬的動作，金土和好朋友也是

金土上課時的寫真照片，近藤老師講解說明，學生認真聽講。（郭双富／原件提供，國立臺灣大學圖書館／保存）

奔騰年代｜牧馬中樞的后里馬場

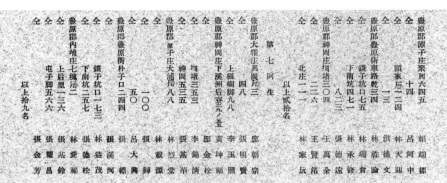

金土的好友張耀昌同學，名字出現在左二。（郭双富／原件提供，國立臺灣大學圖書館／保存）

本地人張耀昌（臺中州豐原郡內埔庄屯子腳）分配到的是一匹騸馬，名字是橘葉沙（たばさ），是從四國讚岐的鄉下來臺灣的，張耀昌牽著馬韁，讓金土開始複習近藤先生的每一個步驟，因為是初次學習騎馬，所以要有同伴幫忙拉住韁帶，以防馬走動。金土先拍拍「橘葉沙」的頸部，說：「初次見面，請多多關照，今天要辛苦你了，謝謝。」然後，金土不知哪來的神奇力量，一下子就坐在馬鞍上了，近藤先生看到，點頭讚許。

金土下馬鞍後，換張耀昌上馬，說也奇怪，張耀昌試了好幾次，搞得滿頭大汗，好不容易才終於坐在馬鞍上。

當大家都已經試過幾次上、下馬鞍後，接下來就是要騎馬前進了。近藤先生說，騎馬最重要的就是兩手的姿勢，第一，把你的手正放在馬鞍的前端，韁繩由小指穿過掌心，以拇指握住；第二，雙肘靠近身邊，兩手相距 15 公分；第三，每一次給予一個號令時，雙手一起移動。現在，放鬆韁繩，使雙韁平行，用你的足跟輕輕敲擊馬腹，馬就會向前行進。近藤先生騎

學生練習騎馬模樣，沒有正式馬鞍且僅用布綁腿〈林金土第一次騎馬想像圖〉。（郭双富／提供）

的「鈴鹿」，開始緩緩向前走，大家騎的馬也都陸陸續續出發，向前行進。

　　近藤先生在馬上大聲地告訴後面跟來的學生，說如果你要馬向右轉，把你的雙手一起向右移動，身體稍傾向右側，馬兒就懂你給的號令，如果要向左轉，就是相反的方向。要停止時，雙手平均後拉韁繩，等馬走慢完全停下時，再放鬆韁繩。好了，現在你們跟我一起騎到前面那棵大樹，繞一圈後再換下一組。

當大家跟隨著近藤先生回到馬廄前，他補充說，還有一個特別要牢記的，就是要維持在馬上的穩定，要靠「夾緊雙膝」的這個動作，夾緊雙膝在馬腹邊就能保持平衡，因為膝蓋骨夾緊馬鞍，膝部以下就會自然放直，就能穩定騎馬的動作。

近藤先生接著又說，騎馬不僅是一種動作，更是一種技術，學習騎乘並不難，但是，光懂得如何騎乘是不夠的，必須要親自多練習，最主要就是要有「不怕摔」的勇氣，你就可以從騎馬的過程中，獲得無比的樂趣。金土將近藤先生的話語放在心裡面，慢慢地體會到其用意非常深遠，暗自決定日後一定要成為馬的好朋友。

經過了幾次練習之後，近藤先生宣布，今天就先到這裡，回去以後好好複習上下馬和前進、停止、轉彎的技巧，明天開始，要練習「輕快步」（慢跑），下週再練習「疾步」（疾馳）。

第二天大家再次整隊，一起出發前往后里馬場。

金土在這一屆的學生當中，騎馬的表現最受近藤先生的賞識，因此後來近藤先生就叫金土做各種示範，隔天練習「輕快步」，一開始，金土輕鬆就騎上馬鞍，近藤先生說一動金土做一動，「馬慢跑時，你就盡量將身體放鬆弛，將身體下部坐於鞍部，隨馬的運動而起落，以臀部接受輕度的震動，若感到過於顛簸，則可將臀部離開馬鞍片刻，且將你的身體向前傾，用

腳尖頂住馬鐙平衡片刻，再坐入馬鞍，身體隨著馬鞍的上上下下節奏起落，如此就會跟馬的律動結合，感到非常舒適，不會有顛簸的感覺」。

　　金土體會到近藤先生的口訣，攬轡四顧，周遭風景映入眼簾，心中甚感暢快，原來騎馬馳騁是如此的氣揚。此時，「橘葉沙」也感受到金土的心意，不知不覺中，也開始加快速度，漸漸放開四蹄跑了起來，金土心中一驚，發現「橘葉沙」好像有意要試探自己的能耐，於是金土也想要來嘗試奔馳的感覺，看看自己的實力如何，於是輕輕拍著「橘葉沙」的脖子，彷彿告訴「橘葉沙」說：「來吧！讓我們一起奔騰吧！」

　　「駕！駕！駕！」金土嘴裡發出催促的命令。「橘葉沙」此時心領神會，開始疾馳起來，愈來愈加快速，騎馬疾馳時，金土知道不要刻意去主導，體會到要自然配合馬兒的動作，掌握馬匹跑步的上下律動節奏即可。當「橘葉沙」的一條前腿向下時，金土的身體也隨之向下，當「橘葉沙」的腿向上時，金土的身體也順勢向上，金土把腰部肌肉完全放鬆，讓臀部順著一波一波的「浪勢」，不要讓臀部和馬鞍做劇烈的碰撞，漸漸體會到人馬合一的完美表現。

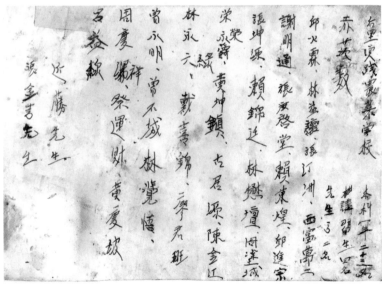

【上】后里實踐農業學校師生到臺南州新化種畜場見學後，順遊臺南赤崁樓合影照。（郭双富／提供）

【下】照片背面有全體師生的姓名，近藤先生的名字位於左邊第二。（郭双富／提供）

第四章 Chapter 4

后里馬場的建設與經營

臺灣總督府在臺灣實施新式養馬事業，以及其後的愛馬教育與繁殖推廣，都與后里馬場的發展息息相關，不僅是臺灣畜產的重大事件，也是近代養馬發展的重要課題。

后里地名的由來

后里區位於臺中市最北端（縣市合併後，二級鄉鎮市一律改為區），夾在大安溪與大甲溪間，東與東勢區為界，西與外埔區為界，南鄰大甲溪與豐原區、神岡區為界，北隔大安溪與苗栗縣三義鄉為界。此地原為平埔族「巴則海」（Pazeh）岸裡社的生活場域，「舊社」（后里區舊社里）古稱「蔴薯舊社」，後來漢人在蔴薯舊社的背後創建村落，此地就稱之為「後里」，意思為「後面的村庄」。

甲午戰後，乙未割臺，歷經多次行政區域的管轄變革，先是屬新竹縣大甲辦務署，1909 年歸臺中縣大甲支廳所轄，稱內埔區；1920 年改屬臺中州豐原郡管轄，稱內埔庄。戰後臺灣，行政區域仍襲舊制，1949 年后里鄉歸臺中縣所轄，但后里鄉原名內埔鄉，管轄鄉內墩仔腳等附近 18 村，與外埔鄉兩地互相對應，1955 年中央政府重新整理行政劃分，因其鄉名與屏東縣的內埔鄉完全一樣，造成混淆，當年抽籤後被迫改鄉名，因此就從「內埔鄉」改為「后里鄉」至今。

后里區地名之由來、與地方文史、地貌及開發有關，深具文化歷史意義，圳寮坑位於后里臺地東緣坑谷，早期修築水圳時設有工寮於此而得名，後改為「圳寮」。與后里馬場有關的舊地名牛稠坑，今為后里區廣福里，牛稠坑位在后里臺地東緣，

巴則海族

巴則海族（又稱為巴宰族或拍宰海族），臺灣平埔族原住民。巴則海族原本分布於今臺中市豐原區、神岡區、后里區附近較靠內陸的區域，約略位置是以豐原為中心，北至大甲溪河岸，東到東勢角（今東勢區），南至潭仔墘（今潭子區），西則到達大肚山山麓的橫岡一帶。16 世紀中，主要部落有岸裡社、烏牛欄社、朴仔籬社及阿里史社等社。

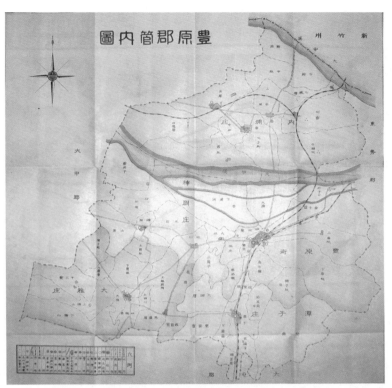

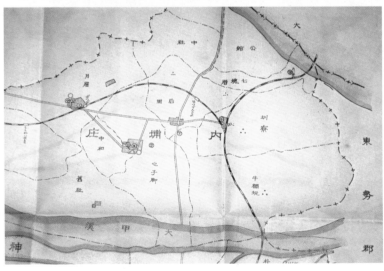

后里鄉原名內埔鄉，界
在大安溪與大甲溪之
間，日治時期豐原郡與
內埔庄地圖。（郭双富
／提供）

地勢較高，大部為蔗園，以前村民多利用此坑口飼放牛隻，築有牛稠（牛舍）而得名。

臺灣總督府殖產局於大正 3 年（1914 年）成立「后里庄蔗苗養成所第一苗圃」，範圍約為縱貫道路以東，北至牛稠坑丘陵地，南至七星山一帶，總面積約 400 甲。這是官方設置的第一個蔗苗改良示範場，作為推廣甘蔗的教育訓練場地，經常在此舉辦各種講習。

后里蔗苗養成所舉辦講習，教導蔗田的溝渠與苗圃坵的施作方式。（郭双富／提供）

位於月眉的后里蔗苗養成所，是總督府重要的示範蔗場，從播種到收成都有講習。（郭双富／提供）

爲何選后里養馬

　　臺灣總督府在臺灣實施新式養馬事業，以及其後的愛馬教育與繁殖推廣，都與后里馬場的發展息息相關，不僅是臺灣畜產的重大事件，也是近代養馬發展的重要課題。

　　昭和 11 年（1936 年）實施馬政計畫，除了前章提到的東部花蓮港廳種馬所之外，也在臺北州羅東郡三星庄、新竹州崎頂與苗栗、臺南州大埔、高雄州岡山等地方設立種馬育成所，昭和 12 年（1937 年）臺灣總督府頒布《畜產會令》後，臺灣各州相繼設置畜產會，次年《臺灣競馬令》公布，規定賽馬活動由各州畜產會辦理。但規模最大且最引人注目的，則是昭和 13 年（1938 年），在臺中州豐原郡內埔庄設立的「后里牧場」，臺中州畜產會正式的專責馬匹繁殖與培育機構。眾所皆知，統治殖民地的主要目的，在於為母國的需要和利益服務，「馬政計畫」不僅是軍事或畜產農業，還衍生到政治、人事、經濟、文化、社會等多領域的題目。后里馬場的基礎條件有二，首先是政府的政策，也就是所謂的「馬政」；其次為馬匹的運用與推廣，例如國防軍需與賽馬的需求。此外，亦不能忽略后里當地的各項條件，讓后里雀屏中選，成為臺灣第一個牧馬的中樞。

　　后里馬場是日治時期由地方的畜產會，最早成立的多功能且全方位的馬匹牧種場，從其組織職掌來剖析在臺灣養馬事業

所扮演的角色，與被賦予的任務和功能，以及馬場在歷任的場長經營下，如何制定經營方針，成為專業的馬場。此外，該場也負責輔導全臺中州各民間養馬場，提供非常重要的養馬專業知識，和傳承實務經驗。為何選擇后里當成臺灣第一個官營的養馬場所，要從后里的自然條件與人文條件進行探討。本章將探討后里馬場的設置動機、成立年代背景、畜產規模與服務項目等，了解更詳細的建設經過與營運成果。

根據臺灣總督府種馬牧場編輯的《牧場要覽》內容紀載，選擇牧場有許多的條件要考量，考量的因素包含自然的條件，如地理位置、地勢土質、還有氣候等因素等。

地理位置因素

1. 有西部縱貫鐵路的后里驛，加上蔗田與月眉糖廠的五分車鐵軌，距離車站僅 5 分鐘。加上通到大安港的鐵軌，可說是交通位置四通八達。
2. 牧場地處后里臺地邊緣，寬闊的平原加上已經開墾久遠的蔗田，東方又有波浪型的丘陵地形，適合馬匹馳騁。
3. 地處遼闊、四季晴朗雨水較少的臺地，加上空氣澄清的環境，此處為紅色砂土，土質乾燥且排水迅速，對於馬蹄的保護非常適合。

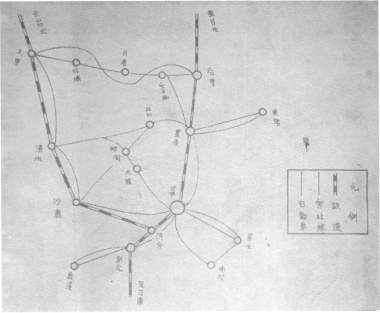

【上】五分車示意圖。（郭双富／提供）
【下】軌道路線圖。（郭双富／提供）

地勢土質因素

1. 表土層土壤呈弱酸性，不會對馬匹造成危害。
2. 紅土砂岩質土壤，不僅對馬蹄具有保護作用，土壤內更含有有機肥料，只需適合的水利灌溉，有利於飼草作料的種植。
3. 紅土排水性佳，不會造成淤泥或雨後變硬塊。

氣候水質因素

1. 后里水圳早經開發，引自大安溪溪水，灌溉溝渠縱橫，無缺水之虞。
2. 冬季不會低於攝氏 15 度，且大樹遮蔭夏季不會高於攝氏 36 度。

1922 年后里圳開闢完成，灌溉區域廣闊。（國史館臺灣文獻館、郭双富／提供）

3. 日照足夠，少降雨，整體較乾燥，后里也是東北季風冬雨的尾端，季風造成不一樣的天氣變化，借助臺灣先天的溼熱氣候，用以增強馬匹的耐熱適應度。

綜觀臺中州畜產會對於地點的選擇調查，有縝密的計畫，對於未來馬匹的豢養，亦有一套完整的時程規劃。此外，還有人文條件也是重要的考慮因素。

明治 41 年（1908 年）臺灣總督府著手開發后里水圳，引大安溪水源，水圳遇山鑿洞，部分沿著丘陵流貫，灌溉后里臺地大部分地區；大正 11 年（1922 年）全部完工後交付給地方，成立「后里圳水利組合」，后里圳水源更形重要，為了防護水圳暢通，沿途蓋許多磚砌小橋，今日走在沿岸林木茂密，流水綠意盎然，景色怡人。這條水圳確立了后里作為馬場，水資源

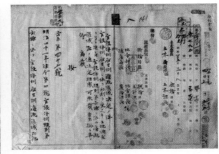

【上】后里圳早在 1908 年即已開發建設，確保供水無虞。（國立臺灣圖書館／提供）

【左】1911 年后里水力發電廠竣工，供電給臺中地區使用。（郭双富／提供）

乾淨且不虞匱乏的最佳保證。

　　后里發電廠很早就已開發，開鑿后里水圳的同時，明治41年（1908年），臺灣總督府規劃設計「后里發電廠」，並於同年開始興建，明治44年8月1日（1911年）竣工，命名為「后里發電所」，供應臺中地區用電。大正8年（1919年）臺灣電力株式會社創立後，后里發電所歸該會社管理。因為有發電廠，所以后里有充足的電力供應，對於已經進入科學化養馬的現代牧場，也是非常重要的基本條件，電力供應不虞中斷。

　　昭和10年（1935年）4月21日清晨6時發生的屯仔腳大地震，芮氏規模為7.1，震央位於大安溪中游，造成新竹州及臺中州一帶3,276人死亡，12,053人受傷，房屋全倒達17,907戶，半倒則有36,781戶，其中又以豐原郡內埔庄與神岡庄、大甲郡清水街最為嚴重，是臺灣有史以來傷亡最慘重的自然災害。

　　災後，臺灣總督府設置「震災地復興委員會」，推動災後復興事業，對於當地的建築重新嚴加規定，加強防震係數，因此內埔地區的震後房屋，都更加穩固；還有因地震造成的交通損害，如鐵路和公路，橋樑與地基也都重新改建，加強防護因此更加安全；此外，對於當地的醫療救護，消防組、壯丁團、保甲、青年團等更強化聯絡網，讓內埔庄的生活機能愈來愈穩健。

震災後三日天幕教室ノ女[...]
1935

內埔庄救護所全景
（其一）

1935 年屯仔腳大地震，外界救援與臨時在戶外上課情形。（郭双富／提供）

屯仔腳大地震破壞重大
交通建設,包括橋墩與
隧道等,震後都加以重
建。(郭双富/提供)

臺灣諺語「打斷手骨顛倒勇」,意味著內埔庄災後的復興,讓內埔脫胎換骨重新站起來,新蓋建築沒多久的役場,沒有遭受嚴重毀損,僅重新加強防震功能,內埔庄役場的外牆貼有「十三溝」面磚和仿石材面磚,正門前廊立有四根巨大方座圓身的大柱來增添官廳威嚴,屋頂則為四坡水的形式,役場四周則以矮牆與短門墩標示廳舍範圍,凸顯主體建築的氣勢與作為地標的功能,成為行政的靈魂所在。

內埔庄也重新整頓,劃分更加整齊筆直的道路,街屋也都新蓋,一律增加騎樓與堅固的防震係數結構,整體街道煥然一新,市況更加繁榮。

此外,內埔庄役場除了主建築之外,趁災後重新的新氣象,一併完成有木造的庄立文庫(圖書館)、大型倉庫、磚砌焚化爐,和豎立「大震災內埔庄殉難者追悼碑」。

再加上因為后里的地理位置,離臺中市不遠,無論是鐵路運輸或公路運輸,都在一個小時之內,因此要與臺中州廳、臺

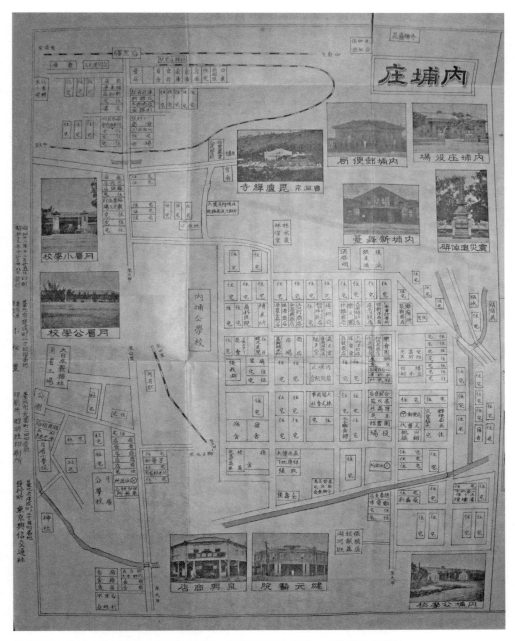

災後重建的內埔庄重劃筆直道路及重建街屋，爾後市況更加繁榮。（郭双富／提供）

中市役所、臺中練馬場、武德會臺中分會、臺中競馬場等單位聯繫洽公，都非常方便；因為鐵路經過后里，還設車站，因此無論要運送馬匹北上或南下，都十分便利。

最後還有一個考量因素，離后里蔗苗場不遠處，早在昭和9年（1934年）就設立「后里農業公民學校」，修業年限為兩年，後改稱「后里實踐農業學校」，這所學校可以提供馬場成立之後的實習學生，和學術與實務經驗的互相交流，兩者互惠。基於以上種種利多因素，在臺灣總督府實施「馬政」後不久，臺中州畜產會立即響應計畫，耗資十萬餘円，決定在后里蔗苗場設立種馬牧場。

震後重新建築的教師宿舍群，修繕後的內埔庄役場。（郭双富／提供）

后里蔗苗示範場在 1938 年建設馬場以前，就已有良好場區規劃與多棟建築。（郭双富／提供）

1937 年 5 月 10 日《臺灣農林新聞》報載臺中州畜產會決定建設產馬牧場。（郭双富／提供）

內埔庄立圖書館也在災後正式成立，是臺灣少見的庄立圖書館。（郭双富／提供）

建設后里馬場經過

　　臺灣畜產協會 1932 年 12 月成立，設於臺灣總督府殖產局農務課內，該協會目的旨在促進本島畜產的改良發達。

　　《臺灣畜產會令》公布後，臺灣畜產協會在 1938 年正式解散，交由新成立的臺灣畜產會接續使命，法定團體機構建立更穩固基礎。

　　臺中州廳配合總督府的政策，檢視當時上呈給臺灣總督的施政成果報告《臺中州管內概況及事務概要》，發現直到昭和 10 年（1935 年）前，所有的調查畜產記錄，都只有牛、豬、羊和家禽的數量統計，未見任何與馬相關的調查報告。

　　但是在昭和 10 年（1935 年）8 月，臺中州農會首次在會員大會中，聘請臺中州的農業技師渡邊良演講「產馬與養馬」的專題報告，似乎已開始關心馬的相關知識推廣。

　　由昭和 16 年（1941 年），臺中州畜產會歲出各項畜產事業費的比重，可以看出畜產會的歲出決算依序為馬、牛、豬。其中，馬政的決算遠較其他家畜為高，這主要是與因應大東亞戰爭而推動的馬政計畫有關。

劍及屨及的籌設

昭和 11 年（1936 年）臺中州畜產會成立後，首要任務就是要繁殖馬匹，培育馬匹的目的，不僅是提供一般民眾運輸用途，主要目的是提供日本本國馬匹汰換、後備供給，以及戰場上軍隊騎乘或運輸使用。后里馬場的建設是當時一件振奮人心的消息，報紙關心建設進度，經常有新聞報導，就目前所見，至少有數十則新聞。

昭和 12 年（1937 年）后里馬場尚未建設完成前，全臺中州因為臺灣總督府鼓勵民間養馬，經過統計共有 135 匹馬，臺中州農會有 20 匹牝馬，民間有役馬 10 匹、各地有牝馬 105 匹，總督府更借給臺中州 1 匹牡馬來進行配種。此時，后里牧場要以飼料「自給自足」為目標，先行種植各種牧草與植物共 14 甲地。

昭和 13 年（1938 年）4 月 27 日后里馬場正式啟用，地點就在蔗苗養成所第一苗圃，第一期總工程經費 18,319 円，完工

1938 年不同報紙對於后里馬場建設的相關報導。（郭双富／提供）

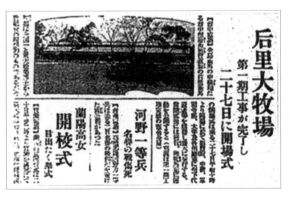

的建築物有事務所一棟、馬廄二棟、宿舍二棟、馬治療所一棟、用水設備處理場一棟、水槽四個、馬洗澡場一個、各式倉庫九間，第一期開發面積有 100 甲；第二期預計開發 400 甲，次年度計畫籌蓋數個跑馬運動場、室內跑馬草地，牧草場、飲水場，還有新馬廄等。如此的大手筆規模，報紙以「牧馬中樞」來形容后里馬場。

剛成立的后里馬場共有 12 名員工，場長由技師擔任，另設有顧問 1 名，技手 2 名、牧手 4 名、雇員 2 名、常僱夫 1 名、給仕 1 名。隨著養馬的規模擴大，職員工年年增加，到昭和 15 年（1940 年）就增加到 18 位。

至於后里馬場的馬，開始有 22 匹馬，分別是繁殖用牝馬 20 匹、役馬一匹，臺灣總督府特別借一匹牡馬給馬場，作為配種之用。隔年，昭和 14 年（1939 年）馬增加到 66 匹，其中牡馬 9 匹，役馬 4 匹，其餘都是牝馬，除了新購入的馬匹外，好消息是短短時間內在后里馬場出生的仔馬就有 10 匹之多，表示這些馬適應良好，且生產力旺盛，並能夠得到良好的照顧。

后里馬場的僱工，身上穿著表示僱工具有一定的經濟能力程度。（郭双富／提供）

1938 年 4 月 27 日后里馬場落成啟用，隔天報紙以「牧馬中樞」來形容。（郭双富／提供）

奔騰年代｜牧馬中樞的后里馬場

后里馬場的馬匹統計只到昭和 16 年（1941 年）止，該年發生太平洋戰爭，日本偷襲美國位於夏威夷的太平洋艦隊駐地珍珠港，日本與殖民地全部進入戰爭管制，因此馬匹成為戰爭的重要資源，列入政府管制項目，不對外公布統計資料，就目前資料所見，昭和 16 年（1941 年）后里馬場最後的馬匹有 81 匹，牡馬 9 匹、役馬 4 匹、牝馬 25 匹、仔馬 56 匹。數量雖然增加，但是以仔馬為主，表示有很多生產後的牝馬進行結紮手術，成為騸馬被徵調到戰場。

此外，同年臺灣總督府殖產局於在臺南新化闢建新的官方種馬牧場，規模遠遠超越后里馬場，這是第一個官方正式的牧場，斥資 475,388 日円，場長由總督府技師小川薰擔任，牧場占地 2,701.2711 公頃，人事編制多達 90 人，工作項目包含馬產技術人員與蹄鐵工之培訓、飼料作物栽培及試作、辦理馬事講習與指導，以及馬產事業調查工作。一開始就確定要大量繁殖能適應熱帶氣候的小格輓馬，主要目的為從事東南亞的軍事占領行動的需要，該年報載剛成立之初的新化種馬牧場，一口

氣就進口 400 匹牡馬與牝馬，要大量繁殖，所以后里馬場相形
之下，失色不少。該新化牧場，戰後將所有養馬業務全部移交
國防部接辦，不再負責養馬。

令人遺憾的是，《臺灣日日新報》與《臺灣畜產會會報》
都刊登在昭和 18 年～ 19 年（1943 年～ 1944 年）間，后里馬
場流行傳染性貧血症，請臺灣各地馬獸醫前來會診，僅確定是
由一種寄生蟲所感染，當時沒有特效藥物可以治療，因此造成
后里馬場的馬生病，甚至死亡。所以到日本投降、戰爭結束的
1945 年，后里馬場還剩下多少馬匹，目前沒有正確資料可考，
有待日後史料出土。

馬廄的管理準則

后里馬場經營之初，就特別針對馬廄的管理，建立一套嚴
謹的 SOP 準則，從今日的標準來檢視，依然還適用，可見當
時對於馬場的管理，的確下過一番功夫。

馬場內馬匹最重要的生活起居空間是馬廄，廄「貴在潔
淨，不在美觀」。馬廄要做到明亮、通風、乾淨、衛生，勤加
打掃，廄舍衛生與否影響馬體健康，潮濕廄舍或是污穢地面，
容易造成馬蹄的疾病。

除廄舍衛生外，馬體的衛生也是管理的重點，馬必須少量

臺中武德會馬術部成員在后里馬場內騎馬的英姿。（郭双富／提供）

日治時期，后里馬場的
馬廄內部。（郭双富／
提供）

奔騰年代 │ 牧馬中樞的后里馬場

多餐採食，飲水要充足且潔淨，選用易消化的飼料，少餵勤添，馬的夜間糧草，也是馬場環境管理必須注意的項目。

馬場也要有足夠空間用來訓練馬匹，12～15匹馬至少要有一公頃以上的面積，這樣才能符合馬匹訓練的要求；還有，馬是有個性與脾氣的動物，在馬場騎馬必須先了解馬性，安置舒適的馬房舍環境，接近馬匹必須保持安靜，動作不宜過大。

最後管理的信條是，馬的力量不是人能夠控制，必須讓馬訓練成習慣信任服從人的指揮，尤其在馬廄裡，人和馬生活習慣要養成好，物歸定位，作息正常，依照規矩行事，就可以做好馬場環境管理。還要積極培訓馬事人才，培養過程要符合正規的業務訓練，才能滿足馬場環境管理的科學化需求。

獸醫的訓練

昭和15年（1940年）臺灣總督府殖產局農務課，分設有畜產、畜政及馬產係，以統轄全島的畜牧獸醫業務，才正式設置馬獸醫，在此之前沒有正式馬獸醫，因此只能由一般獸醫來充任。

當時獸醫師由日本來臺，在官廳及學校等擔任防疫教育工作。明治34年（1900年）府令公布《臺灣獸醫免許法規》，具有日本獸醫師資格，及臺灣總督府所指定實業學校修完獸醫

學訓練者，就可頒給許可證。

　　五州三廳之產業部農林課畜產人員、各街庄役場庶務課也有一至二名畜牧獸醫人員（街庄獸醫多為臺人擔任），總督府府內及所屬單位技師及技手等均需受獸醫訓練，其餘街、庄畜產組合、家畜市場、屠宰場、飼料公司、畜產會、種雞、豬、種馬場及賽馬會也設有一般獸醫。

【上】獸醫為馬施打藥物，進行治療。（郭双富／提供）

【左】后里馬場成立後隔年，1939年就積極舉辦各項馬事講習。（郭双富／提供）

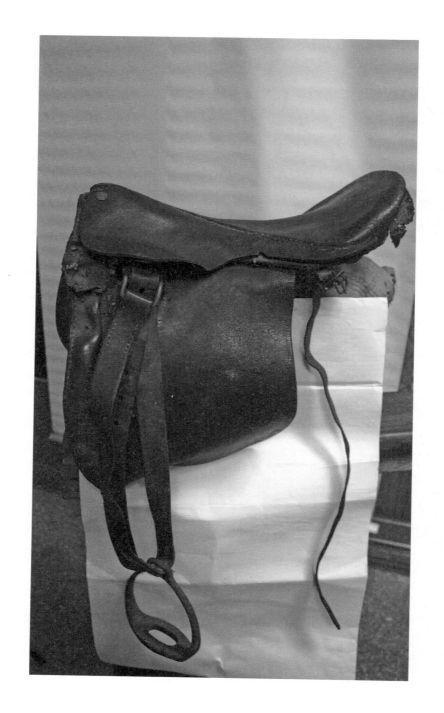

1997 年后里馬場轉型時，拍賣的馬鞍和馬蹬。（郭双富／提供。國立臺灣歷史博物館／典藏。）

奔騰年代 │ 牧馬中樞的后里馬場

特別設有專門馬獸醫的單位，則是總督府轄下花蓮與新化種馬場；農業試驗場畜產科的嘉義和恆春種馬牧場，有專任防疫獸醫各一名；而基隆港務部與高雄港務部亦有之。

后里馬場因為不是臺灣總督府直接管轄的單位，因此沒有官派的馬獸醫，臺中州畜產會特別從日本聘請一位獸醫師來馬場，作為專任的獸醫。

後來這位獸醫還負責辦理馬事講習與指導，教導臺中州各地成立的民間馬場，培訓馬生產技術人員，與蹄鐵工之培訓、教導飼料作物栽培及試作等工作。

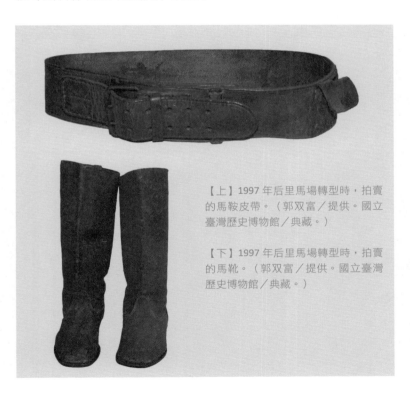

【上】1997 年后里馬場轉型時，拍賣的馬鞍皮帶。（郭双富／提供。國立臺灣歷史博物館／典藏。）

【下】1997 年后里馬場轉型時，拍賣的馬靴。（郭双富／提供。國立臺灣歷史博物館／典藏。）

第五章 Chapter 5

戰後后里馬場的轉折與改變

后里馬場的發展並非當時政府的首要施政項目，反而是最不受到政府重視的時期，從目前各種已公開的文獻檔案顯示，缺乏對館舍建築、經費來源、人員與馬匹補充與組織隸屬，甚至未來長遠發展等問題……

戰後初期的接收

　　陳儀於 1945 年 10 月 24 日抵臺，10 月 25 日中國戰區臺灣地區受降式於上午十點在臺北公會堂舉行。長官公署依據〈接收委員會組織規程〉，制定〈各州廳接管委員會〉，對於原日治時期的五州三廳進行接收，分別成立了八個接管委員會，受長官公署「省接管委員會」指揮，接收後直接改制為各縣市政府。行政長官公署派劉存忠前往接收臺中州，接收委員統一於 1945 年 11 月 8 日出發前往各地，到該年 12 月底，各縣市的接收工作均已完成，並將接收財產清單目錄呈回長官公署，再由長官公署向行政院回報成果。

　　12 月底除軍事基地外，各機關單位悉數接收完畢；后里馬場部分於 1945 年 11 月 15 日由臺中接管委員會接收，後撥交給新設立的臺中縣政府接管，至翌年，1946 年 4 月完成全部的手續，前後僅半年時間即告完竣，稱為臺中縣農會「后里畜牧場」，是由臺中縣農會管理的民間牧場，僅有為數不多的老弱騸馬慘澹經營。經歷過日本殖民統治後的臺灣，隨著政權的轉移，開始進入一個新的歷史時期，在這歷史的變動中，后里馬場的營運順應著時代的趨勢，展現其不同的經營特色。

　　戰後初期對臺灣而言，所經歷的政權統治變遷，是一個大變動的時代，日本統治五十年的殖民結束，國民政府接管臺灣，

是臺灣近代史至為關鍵的政權轉移、政制變革與制度的交接。然而，對於戰後初期的原臺中州畜產會經營的后里牧場，因為戰爭的破壞，經濟蕭條、通貨膨脹，加上社會環境因素，該牧場如何接收與營運，因為缺乏檔案史料，無法有深入性的瞭解與分析。僅得知，1945 年～ 1949 年，政府無法分出太多力量從事臺灣后里馬場的重建，后里馬場的發展並非當時政府的首要施政項目，反而是最不受到政府重視的時期，從目前各種已公開的文獻檔案顯示，缺乏對館舍建築、經費來源、人員與馬匹補充與組織隸屬，甚至未來長遠發展等問題，進行全盤性的考量與規劃，后里馬場面臨各種無法正常營運的困境。

轉變成軍事單位

戰後的后里馬場制度興革，要從 1952 年配合國防政策需要，開始受到政府的重視談起。1951 年底，陸軍官校「馬匹管教所」獸醫幹訓班學員結訓後，參觀考察日治時期全臺灣各地的馬場，評估後發現臺中后里氣候與地理條件較其他馬場為佳（考察恆春、旗山、新化、花蓮港和臺北等地），且日治時代房舍仍在，還有不少職員維持基本運作，於是建議國防部將鳳山九曲堂「馬教所」的馬匹全數移調到后里，改作繁殖基地。

后里馬場基於日治時期留下的豐厚馬術資源與設備，1952

年 3 月由先總統蔣介石手諭下令，5 月成立「聯勤臺灣種馬牧場」，從事軍馬繁殖、騎兵訓練，並從鳳山黃埔官校轉運約 95 匹戰馬，這批馬是因為官校的騎兵科與「馬教所」解編，10 匹賣給學校和民間，其他皆送往后里馬場。聯勤司令部接管后里馬場後，配合「反攻大陸」政策，馬匹是戰略物資，非常重視種馬繁殖，成立之初投入經費，培養專業人才。

1953 年發行《臺灣種馬牧場週年紀念特刊》，由聯勤總部具名正式對外發行，後來繼續發行四期年刊，前後總計五冊。是當時唯一的馬事相關期刊，所刊載的論文，對於馬事研究報告，舉凡馬匹獸醫與畜牧、馬政推廣、數量統計、馬術訓練及馴馬調教等無所不包。1956 年 5 月改由臺灣省保安司令部掌管，1958 年 7 月臺灣省保安司令部改為臺灣警備總司令部，繼

1951 年集訓的獸醫幹部班，結訓之後，到全臺各地考察馬場設施。（臺中市政府觀光旅遊局／提供）

續掌管。

　　成立后里種馬牧場的主要任務，就是增產繁殖軍用馬匹，當初上級指定要培養身高約 150 公分，體重約 400～500 公斤的中等體型騎乘用馬，最初進駐后里馬場的馬匹，總數約有 90 幾匹，人員編制 60～70 人，后里馬場任職的場長為上校職缺，任期正常為兩年一調，是一個典型的軍事單位。

　　「聯勤臺灣種馬牧場」的另一項任務，就是戒嚴時期警備總部要訓練鎮暴騎兵隊，作為處理鎮暴的特殊用途。緣由是政府得知西方國家處理群眾運動時，馬隊組成的騎警可以發揮極大的臨場震撼力量，比起徒步列陣的軍憲警驅散民眾的效果要好，於是由國防部下達命令，要求臺北憲兵隊，調出一批營級、連級軍官至后里馬場接受騎術訓練，五週為一期，共舉辦兩期

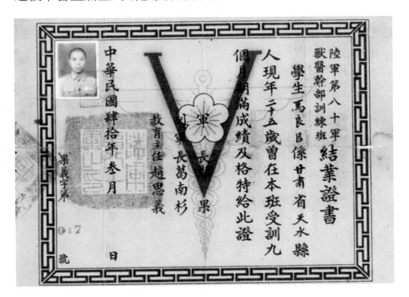

1951 年集訓的獸醫幹部班結業證書。（臺中市政府觀光旅遊局／提供）

軍官集訓；後續又調訓士官階級的教育班長訓練，八週集訓課程要學會所有的馬術駕御，內容包括了全速衝刺與障礙跳躍在內，教育班長共舉辦六期，前後約八十名受訓學員。

1951 年后里馬場曾派員到日本奈良買馬，原因是馬場已無牡馬可以交配，原有從大陸帶出來的兩匹牡馬皆已年老，其中一匹已無法再交配，另一匹牡馬也繁殖太多後代，因此將 2 匹老牡馬和 22 匹老牝馬一起送去金門馬場。

繁殖的種馬既然無法繼續執行任務，後來選購馬匹的採購案，立刻就呈報到聯勤總部與警備總部，但這兩個單位都無法編列該預算，採購案輾轉呈報到國防部，才獲得核准，撥下經費。透過中華馬術協會和日本馬術協會事先聯絡，后里馬場派出四名軍官前往奈良縣馬術訓練基地選購，該次行程總共八天，採購 100 匹馬回臺灣。隔年，1956 年后里馬場的馬匹數就已增加到 160 匹，幾乎達到了原先的一倍。因為是全臺灣唯一的馬匹繁殖培育場所，到 1959 年總數約有 400 多匹馬，達到了規模的最高峰。

除上述憲兵隊曾派員到后里接受馬術訓練外，該場也支援特種野戰部隊的山地求生訓練，曾挑選 50 匹馬，由火車運往屏東三地門，深入隘寮溪河谷附近配合演習，演訓特種部隊到敵後打游擊，以自力求生為原則，甚至連馬匹也不發飼料補給，只是把草料剁成一小段一小段餵食。

這次的演習訓練原先計畫三個月，但因為有非特戰隊的上尉，私下要求體驗騎馬，卻發生摔馬導致斷手臂事件，指揮官震怒，下令提前將馬匹全數運回。該次事件後，后里馬場的馬就再也沒有參與陸軍特種部隊演習。

　　同時期，后里馬場自行發展出了馬術跳躍障礙的能力，由一路縱隊轉橫向的隊型變化，進而操練立體式的橫隊跳障礙，再進而雙人併排跳障礙，最後成功的由雙人對向跳躍障礙，升級到高危險度的六騎同時對向交叉跳躍，這種表演連外國大使都十分驚嘆。這段時期后里馬場的騎術隊打下良好名聲，成為招待友邦貴賓與歸國華僑的重要表演節目。1959 年 1 月 2 日臺北騎馬協會臺灣大學分會七十位會員，赴臺中后里馬場，與臺中市、后里牧場、華僑中學等隊舉行騎馬射擊比賽，並舉行各項康樂活動。1960 年 9 月后里馬場改隸陸軍供應司令部。

后里馬場的馬術表演，是招待外賓與華僑的表演節目。（臺中市政府觀光旅遊局／提供）

約旦贈送阿拉伯種名駒　轟動臺灣

　　1973 年發生一件振奮人心的馬事，約旦王儲哈山親王贈送 6 匹名駒給先總統蔣介石。當時的新聞幾乎天天關心與持續報導，從約旦啟程後，經過 21 天的海上航程，5 月 10 日平安運抵高雄港。

　　6 匹名駒一牡五牝，由嘉華航業公司的金冠輪承運，經過長途的航運，上午十時駛進高雄港，半小時後，泊靠十七號碼頭。金冠輪緩緩靠岸時，單獨繫在左舷甲板的雄馬「安曼之寶」，對著岸邊人群昂首長嘶，不時踢動著四蹄，器宇軒昂神采飛揚，繫在右舷甲板的五匹雌馬，神態則比較安詳，毫無倦態。

　　隨船照顧名駒的約旦籍馴馬師傑米說：「航行途中氣候良好，未遇較大風浪，6 匹馬皆能適應海上生活，一切正常。」船行途中，這些名駒吃的是燕麥、玉米和草料，每隔兩天，即由船員協助替馬洗澡。因此，名駒抵港時，毛色仍保持皎潔，熠熠放光。

　　當日下午一時許，負責接運名駒的單位，新製了一個 3 公尺高的木籠，利用船上吊桿，分別把 6 匹名駒卸下。雄駒「安曼之寶」脾氣較烈，不容生人近身，經馴馬師傑米費了一番功夫，連拍馬首，並遮住牠的眼睛，才把牽牠入籠中。6 匹名

駒上岸後，分別由后里馬場派出的五名軍官馴馬師接手，牽往十三號碼頭出口處過磅，秤過體重後，在十七號碼頭邊空地溜馬，馬鬃飛揚，尾隨風飄，在陽光照耀下，昂首邁蹄，體態矯健。

當天下午 6 匹名駒分別被牽上專車，立即運往臺中后里牧馬場，檢疫隔離十天後，再由約旦駐華大使館與外交部官員，正式舉行交接儀式。

沒想到經過兩個月，來自約旦的名駒，其中兩匹牝馬——愛鳳、月鳳已懷孕，后里種馬牧場的官兵妥加照料，預計九個月後可以生產，希望牠們能順利產下來臺後的純種約旦幼駒。

后里種馬牧場負有改良、推廣繁殖馬種的任務，因此計畫將與雜、純種交配，待四年後第二代成年，再與澳洲馬及已交配出來的雜交馬交配，研究哪一種品種最好，繁殖出可供騎乘用的新品種。

關於這 6 匹名駒，是哈山親王從「國王騎術俱樂部」中挑選出來的上品，「國王騎術俱樂部」約有 500 匹名駒，這 6 匹

「戰鳳」原名「攻擊者」，馬色為鐵青，四歲，馬臉有「珠目」。

「翔鳳」原名「慈烏」，馬毛為青色，九歲。

「愛鳳」原名「可愛」，呈棗騮色，四歲。

「月鳳」原名「明亮」，呈紅栗色，四歲。

「拓鳳」原名「開拓者」，色為鐵青，五歲。

皆屬阿拉伯品種，且都是賽馬，曾得過多次獎項。對於後來的軍馬品種改良發揮很重要的關鍵效果。

馬個個神態雄偉，氣宇軒昂，年齡約 4 ～ 9 歲之間，正值顛峰狀態。都曾在賽馬場上叱吒風雲，有過多次的獲勝紀錄，極其名貴。

其中，雄駒「安曼之寶」最具名氣，身價折合當年新臺幣約為 200 萬元。馬齡六歲，身高 153 公分，體重約 360 公斤，馬臉屬「長流星」型，屬阿拉伯種，曾參加過 20 次大賽獲勝，是享譽中東地區的名馬。另外，5 匹雌駒，后里種馬場分別取名為：「戰鳳」、「拓鳳」、「愛鳳」、「月鳳」、「翔鳳」，每匹身價折合新臺幣超過 160 萬元左右。

支援電影拍片

后里馬場配合國家政策，在 1960 ～ 1970 年代，協助拍攝不少愛國電影，許多電影皆在此地取景，或是提供馬匹與人員充當演員，因此在當年電影界，后里馬場實功不可沒。

根據當時的新聞報導，至少有數十支愛國片在后里馬場拍攝，比較知名的有：《西施》、《還我河山》、《田單復國》、《龍門客棧》等，甚至連香港的娛樂電影，也都需要后里馬場提供馬匹支援，這個時期后里馬場對於協助拍片，可說是應接不暇。

最早拍電影的紀錄是 1959 年，香港金鳳影業公司與臺灣遠東影業公司聯合攝製之《喋血販馬場》，共拍攝外景 10 天，

動員上百次的馬匹支援。此外，還有許多娛樂片也都在后里馬場取景，如香港邵氏公司《西遊記》，借白馬供拍片之用；後來各電影公司的《觀世音》、《無敵霸王》、《風塵三俠》、《山賊》、《路客與刀客》等，都在后里馬場拍攝外景壯觀駿馬奔騰的場面。

　　1965 年《西施》的導演李翰祥，天天坐鎮后里馬場看演員們練馬。原因是該片必須要拍攝戰車廝殺的場面，戰車雖然可以按圖製作，但是戰馬的問題卻比戰車更大，40 輛戰車所需要的馬匹在 100 匹以上，並不是后里馬場沒有足夠的馬可供應用，而是這些馬都是供人乘騎的馬，從來就沒有拉車習慣，尤其是拉古代戰車的經驗，因為這些馬並沒受過特殊訓練，也不習慣駄車。

后里馬場支援許多電影拍攝。（臺中市政府后里區公所／提供）

因此，在《西施》一片開拍前，製片就注意到這個問題，而且立即遭遇麻煩，馬匹根本不肯入轅，如果硬施控勒的話，立刻亂蹦亂跳，甚至於狂奔疾馳弄得車傾人翻，造成多名馴馬教官和演員受傷，嚴重的還掉了八顆牙齒，還有演員嚴重腦震盪，住院兩個禮拜。

　　總計起來，受輕重傷的馴馬教官和演員多達 21 人，損壞了戰車 12 輛，經過快二個月的磨合，終於可以縱轡疾駛，馭勒自如。

　　1966 年后里馬場還支援中影公司新片《還我河山》的拍攝，其中最精彩的一幕外景戲──火牛攻燕，在臺中清泉崗基地開拍，后里馬場支援提供 100 餘匹馬，連馴馬師也變成了臨時演員，現場戰旗搖曳，戰馬長鳴。

　　最困擾的是如何從后里馬場將這 100 多匹的馬，安全地運送到清泉崗基地。

　　當時為了這個交通運輸的問題，還曾協調中部各國軍單位商借卡車，動員官兵齊力協助，甚至連臺中縣、臺中市政府的警察局聯合實施交通管制，才讓這 100 多匹的馬浩浩蕩蕩進行運送。當時軍方給這場戲訂了一個「火牛演習」的代號，管制森嚴，車輛如無通行證，不准隨意進出外景場地，以防馬匹發生任何意外。

電影「西施」的女主角江青與男主角趙雷和后里鄉公所員工合影。（臺中市政府
后里區公所／提供）

救國團的騎馬營隊

　　1960 年左右，中國青年反共救國團主辦每年寒、暑假的自強活動，包含學生的梯隊和勞工的營隊，最熱門的營隊就是后里騎士隊。根據統計至少曾有一萬名以上的臺灣青年與學子參加過后里騎士隊，正式學過騎馬技巧。

　　披著神秘面紗戒備深嚴的后里馬場，平常不開放參觀的軍事基地，只有在寒暑假才開放的訓練營隊，這些參加騎士隊的學員們來到后里馬場，首先映入眼簾的是一望無際的臺糖公司的甘蔗田，馬場的大門口正對著一條筆直的柏油路（2008 年才

中國青年反共救國團舉辦的營隊海報，騎馬的圖案總是最吸引人。（臺中市政府觀光旅遊局／提供）

正式命名為「馬場路」）直通省道臺 3 線三豐路，鐵路就在不遠處與公路平行，不時有載送甘蔗的火車經過。

后里馬場的入口有 5 公尺寬，可供車輛雙向出入，門邊有一個崗哨亭，站著雄赳赳的衛兵。進大門正前方有一個水泥屏風，屏風比門略寬，擋住後方的廣場，左右延伸出去的是環場車道，車道旁種滿了高大的龍柏樹。

救國團在后里馬場辦理自強活動時，利用中正堂作為學員活動中心，一樓是每日學科教學的場所，裡面排了幾十排活動式鐵椅及高大講臺，包括愛國思想與馬術相關知識，活動中心二樓即作為學員宿舍。

利用日治時代留下來的建物作為餐廳，每日用膳的地點就在一棟木造舊建築。當年救國團自強活動期間，種馬馬廄後方有一個馬的藥浴池，還有一間獸醫師的醫療室；一號與二號馬廄，是兩棟隔鄰立於同一基線上的建築，都是日治時期留下木構造建物，也是每日活動的備馬處。

再往東就是每日騎乘課的大運動場，大運動場以土堤分內外，外場跑道一圈是 400 公尺，專門給馬術訓練用；內跑道則是學員練習騎馬的地方。運動場後方即是長滿牧草的小山坡，沿著小山坡上去順著小路，可以騎到著名的「毘盧禪寺」。

每期救國團「騎士隊」大約六天的活動，當時每隊約有70 ～ 80 人不等，參加年紀約為十五到二十出頭，參與營隊也

救國團舉辦寒暑假的后
里馬場騎士隊。（臺中
市政府觀光旅遊局／提
供）

比照軍事訓練，分班分組吃飯及操練，參與學員兩人分配一匹
馬，學員要學習餵食，親自為牠洗滌刷毛，自己親手照顧馬匹
的生活，受訓一個星期，剛與馬兒建立了感情，匆匆又得分手，
這是當時許多人的青春回憶。

騎士隊有一個很大的特色，其他的救國團活動隊，在受訓
時都要換穿制服，唯有騎士隊卻不然。當騎士隊的隊員一個一
個跨著駿馬奔馳而來時，男隊員各式各樣的花襯衫都出籠，女
隊員更是爭奇鬥豔，令人嘆為觀止。

參加騎士隊的女生雖然人數較少，但巾幗女傑騎術高超操
縱自如，加上體態輕盈，騎術高超在野外奔馳時，許多男隊員

奔騰年代｜牧馬中樞的后里馬場

反而都被遠遠拋在女生的馬後。除了可以策馬奔騰的室外課，騎士隊還有很多室內課程，最有趣的科目是「相馬學」。教官們仔細解釋「識馬」的竅門，隊員學習如何從馬匹的外貌，便能鑑別牠的優劣和性能。

　　警備總部管轄的后里馬場長期配合救國團辦理各項活動，極具知名度，1992 年 7 月 31 日警備總部正式裁撤，后里馬場改由軍管區司令部代管。

第一屆中正盃馬術競賽大會
轉型馬術推廣重鎮

　　1975 年 10 月 20 日第一屆「中正盃」馬術競賽大會，在后里種馬牧場揭幕，這是戰後少數的馬術表演，因此吸引大批民眾前往觀賞。競賽大會由中華民國馬術協會主辦，但是事前經臺灣警備總部同意，開幕典禮是田樹樟副總司令（兼中華民國馬術協會會長）主持，共有三百餘選手參加競賽。前一年警總同意在后里馬場舉行小型的騎術比賽，有數十位男女騎士競技，這是一場小型的比賽，僅列兩組兩項，但仍吸引近萬名民眾圍觀。由於舉辦效果符合反攻復國的基本國策，鼓勵民眾騎馬健身，多認識馬匹，且完全沒有博弈的操作可能性，因此警總才同意擴大舉辦。

第一屆「中正盃」馬術競賽大會，比賽分為：男子組、女子組、大專高中學生組、社會青年組及障礙超越組。還有其他的項目，包括基本馬術表演、兒童騎乘表演，騎乘八百公尺競賽等。其中八歲的李立勇在「中正盃」全國馬術競賽中，表演快速騎乘，騎術之精，膽量之壯，獲得數萬觀眾的喝采。報載小小年紀的李立勇，騎著約旦親王贈送的名駒「戰鳳」，快馬加鞭，在競賽場上奔馳，英姿煥發。

　　據后里馬場人士說，約旦所贈送的 6 匹駿馬，都非常難予駕御，駕御這一匹「戰鳳」更不簡單，就是精於騎術的人，稍不留意也會被摔下來。試騎「戰鳳」時，曾把小騎士摔下，幸好李立勇人雖小，身手敏捷，立即又翻上馬背。李立勇的父親李文煥，服務於救國團，也是一位騎馬迷，騎術很精良，李小弟三歲時就在馬背上玩耍了，所以，他才能小小年紀就有很不錯的騎術。

　　由於這次的比賽，是國民政府播遷來臺後的第一次公開的競馬比賽，因此吸引至少數萬餘名觀眾，為后里帶來熱鬧氣氛，

【左】競賽選手進場。（臺中市政府觀光旅遊局／提供）

【右】李立勇進場時的騎馬姿態。（臺中市政府觀光旅遊局／提供）

第一屆中正杯馬術競賽大會開幕典禮。（臺中市政府觀光旅遊局／提供）

馬場也擠得水洩不通，加上有些人不遵守規則，跨越柵欄或突然闖入跑道，將「馬術」當成「馬戲」看，造成秩序欠佳讓馬怯場感到恐懼，突然不聽指揮，導致當天男子障礙賽無法完成比賽。

1976 年續辦全國第二屆「中正杯」馬術競賽，地點仍選在后里馬場舉行，由中華民國馬術協會會長田樹樟主持，這次共有五萬餘名觀眾參加，前來欣賞來自全國各地的騎師精彩表演與競技。比賽增加許多項目，計有男子三千公尺競速賽，二千公尺接力馬賽，女子一千公尺競速賽，及跳越障礙競賽等四個單項，在競賽過程中並有輕騎賽、兒童騎乘，約旦名馬競速及世運駿馬障礙跳越等表演，非常精彩，博得熱烈掌聲。

后里馬場的任務也由協助拍攝電影，轉型為推廣馬術，全國中正盃馬術競賽等賽事也多在此舉行，參加馬術競賽的各地選手，也都是在后里馬場接受訓練，其中還培訓出優秀的國際選手。

林增雄畢業於屏東農專獸醫科，分發到后里服兵役，因為愛馬志願留營六年，后里馬場的育種、醫療、接生的重擔也落在林增雄肩上。騎術頗佳的林增雄，1976 年赴西班牙學習馬術比賽規則和裁判法，他在西班牙每天要負責保養四匹馬，將牠們刷得漂漂亮亮，訓練時動作不好立刻被斥喝，訓練時間很長，也學習到臺灣所缺少的馬術比賽的豐富知識，但也吃了不少苦

奔騰年代│牧馬中樞的后里馬場

第一屆中正杯馬術競賽大會，男子組 1,000 公尺比賽，現場不遵守秩序的群眾行為。（臺中市政府觀光旅遊局／提供）

頭。

回國後，林增雄積極推廣馬術，他在后里馬場的座騎，編號940，綽號叫「貝比」，是匹七歲的牝馬，出名的「帶頭馬」，具有領袖慾，馬隊出動，一定要走在最前面，「貝比」很有個性，喜歡跳躍障礙，看到障礙物會一直衝，不讓牠跳，牠就會氣得四蹄亂蹦。

另外，還有外號叫「山東響馬」的孫瑩，唸書時天天心不在焉，一心只等週末來到，好去后里騎馬。中臺醫專檢驗科畢業後，孫瑩在醫院的工作忙碌，沒法子常去探望她的愛馬，然而每當寒、暑假來臨，孫瑩就會不顧一切辭去工作，到后里義務擔任騎士隊的助教，後來馬場醫務室缺人，孫瑩終於如願以償留在馬場工作，和馬兒生活在一起。

后里馬場是國內馬術運動的推手，圖為騎士正在進行跳躍障礙物訓練。（臺中市政府觀光旅遊局／提供）

此外，葉憲宗是幾位騎士中基礎打得最好的一個，他由日治時期老騎師林平仲啟蒙，嚴格訓練他的基本騎乘動作，因此他初學騎馬的一年，不像別人那麼多彩多姿，葉憲宗兩膝內側老是黑青兩塊。葉憲宗在北部服役時，每個月有四天假，他排在一起連休，四天全都泡在后里馬場也不回家，馬立原場長慧眼識英雄，將他挖角過來，加以培養。葉憲宗負責校正其他選手的姿勢，別的選手當初沒有經過正規訓練，騎了多年，一旦要把錯誤的姿勢改過來不但不容易，而且很痛苦。

1975 年暑假，參加救國團舉辦的騎士隊活動的白捷勇，因為喜歡馬，覺得騎馬很好玩，就這麼一直無怨無悔地騎，後來成為留在后里馬場的女騎士，也是唯一出身自騎士隊的選手。后里馬場曾經培養過無數的優秀選手，這段歲月可說是最輝煌且值得傳頌的篇章。

國防部退出后里馬場經營

可惜好景不常，到 1979 年，后里馬場騎術隊的訓練與表演漸漸上軌道之際，1981 年國防部開始精簡人力及馬匹繁衍數量，傳出后里馬場因經費問題，業務可能停辦，臺灣馬術運動將面臨「腰斬」的危機，關心馬術運動的人士，均為這項運動的前途擔憂。中華馬術協會表示，后里馬場位於中臺灣，位置

適中、氣候溫和、設施完善，為國內獨一無二的馬術訓練與競賽場地。但是，軍方單方面決定終止具悠久歷史的馬場營運，無異扼殺馬術運動的發展，將對全國愛好馬術運動者造成傷害，對亞運培訓選手的士氣更是嚴重打擊。

　　后里馬場是臺灣發展馬術運動的根源，有國內最優良的馬匹，也匯集了國內騎術最佳的選手，后里馬場的存亡，關係著臺灣馬術運動的盛衰。臺灣馬術協會表示，臺北騎馬俱樂部可供發展馬術運動，但是臺北騎馬俱樂部沒有繁殖馬匹的能力，也沒有調教馬匹的人手，縱使有后里的人員支援，臺北騎馬俱樂部現在的人力設備與場地規模無法承擔這些工作，在短期內也無法擴建。

　　關於軍方準備退出后里馬場的營運，輿論一面倒地反對該項決策，報紙幾乎天天有讀者投書，也有專家學者撰文，記者也深入分析探討，但依然改變不了軍方的決定。綜觀當時輿論反映，認為馬術運動的工具是馬匹，是有血有肉的動物，馬匹需要繁殖、調教、飼養及訓練，馬術運動才能存在；而馬術又是現代五項運動競技之一，選手的重要性只有百分之三十，馬占了百分之七十。后里馬場是國內唯一能繁殖馬匹的地方，其設備、人員、技術，國內沒有任何一個單位能夠取代。發展我國馬術運動，必須依賴后里馬場提供馬匹和各種技術，后里馬場是馬術運動的根，軍方不但不「扎根」，反而作出「拔根」

的決策。

　　此外，關於現實面，則有：

　　（1）后里馬場將近 300 匹馬，要如何處理？

　　（2）在馬場專精培養的最優秀馬術選手將何去何從？

　　（3）馬場的各項設施要如何處置？

　　（4）馬場周圍的牧草地，是否仍然留著？

　　（5）獸醫及養馬人員要如何安置？

　　（6）位於南港的行政院衛生署預防醫學研究所，製造抗
　　　　　毒蛇毒素血清所需要的馬匹來源呢？

　　（7）救國團騎士隊活動是否停辦？

　　（8）現代五項運動所需的馬匹及技術將由何單位負責？

　　（9）國際馬術活動及交流又當如何後續發展？

　　（10）選派馬術教練出國受訓計畫是否繼續？等等的問題
　　　　　需要解決。

　　軍方則認為因為馬匹已無軍事價值，維持馬場的經費成為
無謂的開支，因此不願意再繼續負擔這筆開銷。後來經過各方
反映與爭取，軍方延緩結束場務，為了讓馬場更能夠自給自足，
1984 年 7 月 1 日起，以現有人員與馬匹，充分運用原有場地、
設施，並增關相關遊樂項目，藉由對外開放營運，以收入作為
馬場發展及馬匹飼養之經費來源。

自 1984 年 7 月起，就已經「自力更生」的后里馬場，在 1997 年初接獲軍管區司令部通知立即遣散員工、拍賣馬匹，命令 4 月 30 日起必須在馬場大門明顯處放置「停止營業」看板，該年 5 月停止運作，6 月底正式裁撤；軍管區司令部規定，6 月底後若仍有馬匹、設施未處理完畢，將派士官兵五至七人進駐后里馬場強制處置。儘管馬場方面認為上級自 1984 年 7 月起不編預算後，馬場自給自足且從未虧損，若立即裁撤不盡合理，全力爭取敗部復活，最後仍回天乏術。

　　期間臺中縣政府表達接管意願後，露出暫緩撤除的曙光，最棘手的事情是，后里馬場的土地與地上物的產權並不容易釐清，要裁后里馬場，這些產權問題如何處理，有必要詳細研究。以第五馬廄前的「室內騎馬場」為例，當初興建時就由教育部支援經費，當時的警備總部也有配合款，全國馬協負責興建，要歸哪一個單位的產權，非常複雜。因此臺中縣政府在 1997 年 5 月 20 日邀集國有財產局、省政府、國防部、臺中縣農會、后里馬場等相關單位進行協商討論，希望找出合乎法律規定，且能讓馬場繼續營業的方式，縣政府希望將馬場經營成為觀光休閒區。

　　臺中縣政府欲接管馬場，須支付龐大土地有償撥用費與相關經費，其預算仍需經過縣議會通過，當時觀光課樂觀表示，縣議會在考慮地方對后里馬場的需求後，應會通過該預算。經

過多次協商與溝通，嗣後臺中縣政府終獲軍管區司令部同意，接管並保留馬場原有各項人力、馬匹及相關馬術資源，同時擬定「臺中縣后里馬場興辦事業計畫」，並委託后里鄉公所成立「代管后里馬場輔導小組」就近經營管理，藉以維持經營並保留馬事技術、人力資源。

臺中縣政府奉臺灣省政府交通處於 1999 年 5 月同意辦理，以新臺幣 2 億 7 千餘萬向財政部國有財產局有償撥用 14.86 公頃土地，由縣府正式接手後委託后里鄉公所代管，馬場每年盈餘數百萬元，卻因場內活動處處要錢，引來「搶錢」之譏，以 2004 年為例，盈餘 840 餘萬元，到了 2007 年，縣府推動騎馬和鐵馬的「兩馬文化節」，后里馬場盈餘 900 餘萬元，馬場內各項活動處處要錢，讓想親近馬兒的民眾卻步。

針對縣府採公辦公營的經營模式，與縣府對外聲稱「馬場不以營利為目的」，引起民眾不同的意見與聲音，甚至認為長期以來，縣府只派鄉級主管、甚至課員兼代場長，沒有認真經營、規劃后里馬場。因此，縣府向中央要了上百萬元規劃委外經營方案研究，欲把后里馬場公開招標委由民間經營，以 ROT 公辦民營方式招標，評估相關細節，待決定後即把計畫送縣議會審議後正式辦理，一來可不必每年再編預算、節省開支，二來還有固定收入。

爭奪產權的訴訟

臺中縣農會在 1999 年臺中縣政府正式接手后里馬場後，開始與國防部打民事官司，爭取追討后里馬場的產權。

經過 5 年的纏訟，最後在 2004 年，最高法院做出最後的判決，國防部後備司令部上訴遭駁回，維持二審原判，三審定讞后里馬場地上的十處建物均歸臺中縣農會所有。面對這樣的判決結果，臺中縣農會表示欣慰，縣府則喊冤。縣府對於這項判決發表看法，法院訴訟只有針對建物部分澄清產權，並未提及馬場土地產權問題，如果臺中縣農會主張擁有馬場土地，則應提出具體證據，並經司法判決。

后里馬場土地產權到底屬於何方，引起縣農會和縣府之間的爭議，由於歷史久遠，說法不一。

在威權體制的時代，很多事情都是上級交辦，因此如何還原真相，才是最重要的史實。1945 年接管臺中州的委員會，新成立的臺中縣政府委託臺中縣農會經營農場，面積達一百多公頃，包括后里馬場在內，後來在省農林廳出面下，軍方（聯勤總部）和臺中縣農會簽訂租約，將馬場提供給軍方使用，至於歸還日期填的是「反攻大陸」之日。

根據農會人士回憶，在各單位協商下，將馬場土地進行交換，臺中縣農會獲得一塊位在臺中市內的土地，後來出售獲

得新臺幣 600 萬元鉅款，分別償還債務並購買縣內一處土地，早期的農會還留有當時的會議記錄。

時任總幹事的蔡政郎表示，1952 年國防部以聯勤總部名義有條件借用后里馬場，當年契約明訂若聯勤不須使用，就歸還給縣農會，但後來軍方卻把馬場交由縣府管理，縣府又委託后里鄉公所經營，因此打民事官司追討后里馬場的產權，蔡總幹事認為，縣農會確實擁有后里馬場產權的優先權。

2004 年針對國防部的敗訴，引起臺中縣政府震撼，縣政府認為當年花費 2 億 7 千萬元價購取得土地，並委託后里鄉公所繼續經營，當時已規劃辦理委外營運，同時決定繼續支持軍方非常上訴，爭取翻案。

臺中縣農會指出，除勝訴的幾棟建築物外，事實上，整個后里馬場用地都為縣農會所有，只是在 1952 年，基於國防需要，借給軍方使用，未來縣農會要設法討回馬場產權。至於縣府花費的 2 億 7 千萬元，向國有財產局價購土地，根本搞錯對象，則應向軍方索賠。

至於后里馬場的產權應屬何單位？根據前章所述，日治時期就是由臺中州畜產會成立與經營「后里牧場」，戰後臺中州畜產會改組成為臺中縣農會，臺中縣農會接收「后里牧場」，改稱為「后里畜牧場」，由臺中縣農會管理經營。

爾後，歷經政府組織再造，縣市合併等過程，后里馬場

的功能再增加兩項，衛生署疾管局委託后里馬場代養 50 匹進口成馬，研發抗蛇毒血清。

馬的體型大小適中，多數馬對蛇毒有感受性，又能適時產生抗體，不致動輒一命嗚呼，因此成為有能力製造抗蛇毒血清國家共同的選擇，這群馬接受施打毒蛇毒液，讓馬匹經歷痛苦的中毒過程，而且馬兒皮膚化膿出血與潰瘍的狀況還是無法避免的，待體內產生足夠抗體後，再採取其血漿，純化精製成抗蛇毒血清，可生產國內常見毒蛇之血清，如百步蛇、雨傘節、飯匙倩、龜殼花、赤尾鮐及鎖鏈蛇等，希望這些勞苦功高的血清馬，退役後能以轉贈取代拍賣，並建檔長期追蹤，不要讓血清馬的下半生被騎乘玩樂或是驅趕表演，應多加善待血清馬。

此外，財政部關稅總局在后里馬場成立緝毒犬培訓中心，自行培育緝毒犬，新成立的培訓中心，內有母犬待產房、產房、幼犬遊戲間、洗澡房、健身房、每隻獨立住房，而且都有空調設備。

海關的緝毒犬，以訓練拉不拉多為主，建立 40 組緝毒犬隊，分置於臺北、基隆、臺中、高雄各關區執勤，強化海關的查緝任務。

結語

　　儘管過去反攻大陸的政策，宣傳馬上建奇功、躍馬中原等英雄故事，已是遙遠年代的傳奇。

　　後來臺灣的馬術運動已經越來越普及，騎馬人口急遽增加，國內就興起了 60 ～ 70 座私人馬場，后里馬場漸漸失去特殊地位，但因為歷史最悠久、占地最遼闊，更是國內馬術運動的搖籃，又具備繁殖馬匹的能力，這裡曾培育無數優秀馬術國手，雖然曾經蒼鬱林蔭、鳥鳴馬嘶，但也逐漸遠離。

　　創建於昭和 13 年（1938 年）的后里馬場，到 2018 年即將成為舉辦臺中世界花卉博覽會的主要場地之一，經過了 80 個年頭，當年作為臺灣中樞地位的產馬牧場，孕育不少馬匹的故事。

　　隨著歷史的演變，至今已褪去軍事的目的，后里馬場讓民眾更加容易親近，一旦碰觸過馬術運動，往往叫人不能自拔的喜歡，馬術運動是全面的身心運動，全身筋骨都活絡，也是所有運動項目最獨特的，因為需要兩個生命一起配合才能完成，兩個不同生物心靈接觸，從陌生到默契十足的合作過程，讓人感到有血有淚與馬兒不同的生命，共享那靈犀一點通，這也是馬術運動最神奇的魅力所在。

　　轉型為休閒娛樂的后里馬場，曾帶給許多家庭共享歡樂

現代馬術醫療

國外醫界公認馬術運動對於自閉症、腦性麻痺的患者特別有效，可以促進大腦中樞重整，提供練習平衡和統合肌肉，與動物互動的過程，還可以激發身體的能量。此外，與馬互動的運動特質，也讓馬術進入復健醫療的領域。

的時光，馬場有逗人喜愛的「迷你馬」，也有溫馴善良老少咸宜的「親子騎乘專用馬」，反應靈敏任君馭使的「馬術訓練用馬」，慓悍刺激馳騁如飛的「管制馬」，和專供繁殖用的阿拉伯馬及英國純血種馬等，名駒駿馬，還是后里馬場最重要的主角，讓人深深迷戀，駿馬仍是遊客們的最愛。

　　未來，后里馬場是否還能繼續扮演推廣馬術和馬事教育的功能？達達的馬蹄聲是否能依然飄揚在空中？

　　在濃蔭的樹下，能否再看見馬匹優閒的蹓腳漫步？

　　或來到黃土跑道，欣賞駿馬快意放蹄奔馳？

　　期待臺中市政府長程規劃，讓后里馬場飛馳奔騰的馬兒依然活躍人心，讓馬匹的故鄉美譽繼續傳唱，讓民眾可以滿足對馬的好奇心，提供馳騁馬背，體驗人馬合一的珍貴情誼。

｜插曲｜金土畢業了，決定成為「裝蹄師」

金土 12 歲那一年，第一次看到馬，內心就莫名的激動。

14 歲第一次騎馬，體驗到人馬的心靈相通，從此深深地愛上馬。

在后里實踐農業學校讀書過程中，曾目睹一匹牝馬因為懷孕期間，沒有定期修復馬蹄而得了「蹄葉炎」。蹄葉炎是一種馬匹營養過盛、運動不足的蹄病，造成腳蹄潰爛。後來雖然經過妥善醫治，但還是造成不良於行的後遺症，這匹馬沒有辦法再放蹄跑步，只能慢步行走。每次金土看到這一幕，心裡都好難過，因此下定決心，要好好跟日本老師學習釘馬蹄的專業。

「修馬蹄」是項專業且辛苦的工作，當時在臺灣沒有專門教修馬蹄的地方，只有幾個種馬場有幾位從日本來的「伯樂」（はくらく）。所謂「伯樂」，是日本明治維新前，西方獸醫術還沒傳進日本，早期民間村落的傳統獸醫，他們採用民間療法，主要採針刺以促進血液循環，排出疲勞淤積的不良血液，讓馬恢復健康。後來西方醫學引進後，「伯樂」最重要的工作就是製作鐵蹄，幫馬削去溢出的趾蹄，並重新釘上符合腳型的鐵蹄。

后里實踐農業學校聘請后里馬場的專業「裝蹄師」福井俊二老師來教導，當天所有學員集合出發前往后里馬場的「裝蹄

馬的身體結構使牠們能夠利用速度來逃避捕食者，牠們擁有良好的平衡感和快速跑步反應。馬能夠站立和躺下睡覺，雌性馬懷胎 11 個月後生下小馬幼仔，小馬可以在出生後不久站立和奔跑，懷孕期間和哺乳期半年，過程中母馬不能被騎乘。大多數馴養的馬在 2 至 4 歲之間開始訓練，在 5 歲時達到完全發育，馬的平均壽命在 25 到 30 年之間。今天，全世界大約有 300 多品種的馬，馬的品種不同，其用途也各異其趣。過去，馬在歷史上用於戰爭的用途最多，各民族也開發出各式許多不同風格的馬車設備和控制方法，也發展出了迥異的騎馬和駕駛技術。

所」，這是一棟獨立的廠房，因為預防火災的蔓延，與馬廄離得稍遠一點，金土對於這門課特別認真學習。

走進「裝蹄所」，迎面而來的是一股熱氣，因為鼓風爐正在加速爐火的燃燒，釘馬蹄鐵得在熊熊烈火上燒得通紅，再用鐵鎚敲出適合的形狀。過程中一方面得安撫馬兒情緒，一邊得忍受爐火烈燒，釘鐵蹄時還得彎腰屈膝夾緊馬腿，每匹馬都需要五十分鐘以上，遇到壞脾氣的馬兒，還得費一番功夫。

福井老師說，「馬匹要站得挺駿，要跑得快又穩，除品種的選擇外，馬蹄的保護非常重要。馬蹄的保養關係到馬匹的健康，馬蹄修得好，馬就站得挺，因抓地力佳而跑得穩。」接著，福井老師解釋如何削去多餘的趾蹄，修馬蹄時，則先視馬蹄的站立姿勢、斜面的角度來研判，應削剪多少蹄底的長度，才能使馬蹄的斜面形成 40 度左右的立面。

馬蹄不能修剪得太深，修得太深容易觸碰馬蹄的敏感神經而產生痛覺，馬在站立時會不安，不自覺地不時舉腳。福井老師強調馬蹄長到某個長度，就會出現一條白線，這條白線就是削馬蹄深度的「警戒線」。因此，削剪馬蹄時，看到這條白線就必須謹慎下手，以更細膩的手法削剪蹄形，避免修得太深而觸動神經。修馬蹄的同時，要清理三角蹄叉、蹄心肉墊部分及馬蹄內緣，避免因骯髒、異物刺傷等細菌感染，而罹患到腐蹄、蹄心爛及蹄葉炎等馬蹄疾病。

接下來講解敲整馬蹄鐵及釘馬蹄鐵的工作，「馬蹄鐵」為較易鍛鑄的生鐵或半生鐵的金屬材質，修馬蹄鐵要依據每匹馬蹄的形狀，將大小適合的馬蹄鐵釘在馬蹄上。馬蹄鐵要完全與馬蹄吻合，必須先經過火爐的燒紅、敲打及冷卻，燒融的馬蹄鐵易於敲打定型，經過數次的修正、冷卻，馬蹄鐵的硬度更高，更耐磨。釘馬蹄鐵時，釘子由馬蹄底傾斜向外，釘出於馬蹄面，再剪斷、彎曲釘子固定於馬蹄底，金土很仔細地將福井老師的話謹記在心。

福井老師牽過來一匹馬，示範整個完整的流程。首先，小心地將馬腳包覆起來，避免不必要的意外傷害，然後快速地用鉗子拔出鐵釘，卸下舊馬蹄鐵；福井老師半蹲著夾緊馬的後腿，以熟練的手法削去溢長出來的趾蹄，修復出很完美的弧線，然後拿出新鐵蹄套住馬蹄，檢查是否符合蹄型，一直不停反覆的溶燒敲打，直到完全包覆馬蹄，才放入冷水中快速冷卻，待定型後才套上馬蹄，最後釘上鐵釘。

當老師完成四隻腳蹄的修復後，提醒同學們日後修剪馬蹄、釘馬蹄鐵的動作都必須馬匹配合，要注意躲避馬蹄後踢、前蹬的動作。有些人常常只注意馬後腳後踢的動作，而忘了馬前蹄也會向前蹬踹的習性，尤其是遇到個性較敏感、不熟悉的馬匹。

後來，金土跟近藤老師表達他想要成為「裝蹄師」的想

后里馬場修護馬蹄時需用的整箱工具。（郭双富／提供）

法，近藤老師很支持他，於是金土一有空就往后里馬場觀摩和實習，福井老師也非常欣賞金土的積極態度，將所有的寶貴經驗一一傳授，也給金土更多的機會親自操作，漸漸地金土的巧手，就成為后里馬場修馬蹄的得力助手。金土畢業後，后里馬場的場長得知金土的意願和熟捻的技術，因此就讓他進入馬場工作，從「見習生」起聘，金土於是正式成為后里馬場的職員，開始他朝成為優秀的「裝蹄師」的夢想前進。

　　……

　　歲月如梭，金土修復馬蹄超過了半個世紀，也從后里馬場告老退休，心裡仍有無數馬兒的故事和割捨不下的感情。他最大的心願就是，希望后里馬場成為專業技術的傳承聖地，不要再讓馬受到任何傷害。

　　　想念馬兒時，希望還能有機會再回去看看……。

昭和 19 年（1944 年）金土從當時的報紙剪下的「馬」插圖。（郭双富／提供）

奔騰年代｜牧馬中樞的后里馬場

「裝蹄師」工作時的皮製綁腿，方便夾緊馬腿。（郭双富／提供）

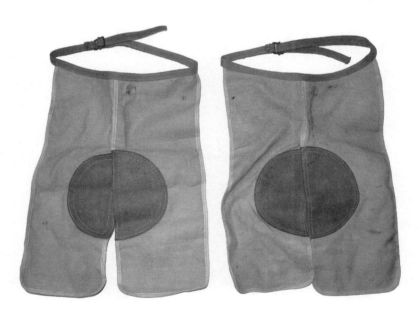

修馬蹄時，包覆馬腳的保護布套。（郭双富／提供）

後記 Epilogue

「后里馬場」的牧馬事業經營並不是一時一地的硬體建設，而是需要長時期永續的投資，是一種持續不斷的長遠馬政事業。

馬，是人類得力的助手，很早就被馴服豢養。馬在過去歷史上的功能很廣泛，舉凡交通運輸、馱物載重、農耕勞役、軍事國防，甚至是取乳食用等；時空轉換，近代以來逐漸轉換成博弈娛樂、馬術運動與醫療復健等面向發展。

根據考古調查，臺灣曾出現「野馬」的化石，但無法得知後來族群滅絕的真正原因。遍尋舊籍史料，發現早期荷蘭、日本與原住民的貿易檔案中，清單赫然條列「山馬皮」貨物，證明臺灣這塊土地也有馬的蹤跡。

荷西時期草萊初闢，船運進口少數馬匹進入臺灣，作為軍事傳遞訊息用途。鄭氏治臺重視屯田農耕，畜養水牛與黃牛為主要獸力，亦無法從事畜馬事業的建設。清領時期的臺灣，延續鄭氏時期的農耕傳統，僅軍營中畜養少數馬匹，質量均不佳，民間也沒有能力自行豢養。綜觀臺灣畜牧業的歷史記載中，鮮少發現馬匹培育的紀錄。

近代臺灣馬政事業的發展，肇始於日本殖民統治初期，馬匹隨同官方與軍隊帶進臺灣，可說是臺灣養馬的起源。殖民統治五十年間，延續日本母國的馬政政策，在臺灣進行有計畫、有目的的畜牧，昭和 12 年（1937 年）發布〈畜產會令〉為主要分水嶺，在這之前屬於試驗性質，少數進口並擇移民村畜養；尤以隔年昭和 13 年（1938 年）運用官方與民間力量，建設后里馬場，作為馬政事業的高峰。養馬是精密的科學，后里馬場

作為第一個正式成立的養馬「種馬場」，背負官方賦與的任務與挑戰。

當初接受臺中市政府文化局委託撰寫「后里馬場」時，筆者腦海中浮現幼時的回憶，母親娘家在后里鄉月眉村，小時候經常陪同母親到月眉探視外公與外婆，也曾與親戚們一同到后里馬場旅遊。另，在撰寫父系家族史時，從資料中發現祖父曾在日治時期養過一匹馬，當時為了養馬，還特別蓋了馬廄，並聘僱馬夫與其家人照顧馬的生活起居；之後這匹馬在第二次世界大戰後期，被日本政府徵召上戰場，後來沒有任何音訊，不知下落如何。「后里馬場」如同魔力種子，讓深埋心中的回憶一瞬間甦醒過來，經過整理史料檔案、現場訪談，終於開花結果。

本書《奔騰年代：牧馬中樞的后里馬場》，將后里馬場放入臺灣歷史發展的脈絡中，獨立成一個主體進行觀察分析，發現后里馬場的發展與國家的政治、社會、經濟與文化背景息息相關，經營理念、管理制度和具體做法更是受到整體環境的影響，內容為彰顯近代后里馬場功能的事實。本書以后里馬場事業為論述主軸，全書除前言與後記外，計分臺灣馬的謎團、日本的馬政與臺灣馬政、日治時期賽馬、后里馬場的建設與經營，以及戰後后里馬場的轉折與改變等五部分；並附有「臺灣馬政事業發展大事紀」以及參考書目，並設計虛構人物林金土的三

部曲，以增加趣味性和可讀性。

「后里馬場」作為戰後臺灣唯一的官方畜馬場地，但因為時空條件的丕變，造成完全的沒落，喪失畜馬的功能。該場地曾作為臺灣重要的牧馬搖籃，為了能讓國人認識馬、了解馬，進而推廣馬術，政府應重新審視如何振興「后里馬場」。「后里馬場」的牧馬事業經營並不是一時一地的硬體建設，而是需要長時期永續的投資，是一種持續不斷的長遠馬政事業。臺灣馬政事業的發展，需要各項主、客觀條件的配合；外在客觀條件為，由政府制訂完善的畜馬發展政策，提供穩定與充裕的經費支持，整體社會環境營造愛馬與知馬的氛圍，一般民眾皆樂於認識馬；主觀條件則為畜牧馬場本身的努力，透過專業敬業的養馬態度，在合宜建築的館舍內，經營馬場所擁有的特色馬匹，提供各項現代人需要的服務，成為提供專業馬術的重要機構，馬場才能永續經營，達成提升休閒文化與推廣的目的。

很榮幸獲得臺中市政府文化局的肯定，能夠有機會與郭双富先生一起撰寫這本書，從接到任務開始，便構思全書的布局，也著手蒐集文獻資料，沒想到后里馬場原來在臺灣一直扮演著重要的功能，在許多人的腦海中都有著后里馬場的回憶。本書在短時間內完成，要感謝的人很多，首先要感謝臺中市政府持續關心臺中的文史，不斷出版《臺中學》，讓臺中的故事廣為流傳；再者，要感謝文化局局長，也是知名詩人路寒袖，

林佳龍市長陪同蔡英文總統巡視后里馬場。（臺中市政府／提供）

在撰寫期間的關心，以及文化局編審林承謨先生的寶貴建議；也要感謝遠景出版社的編輯偉涵與幼真不斷的鼓勵與辛勞。本書共同作者郭双富先生，是臺灣史料權威，如同百科全書滿腹經綸，經常開會討論章節架構，提供寶貴意見與獨特的見解。郭先生典藏的珍貴資料與照片，從不同的角度來映證后里馬場的發展，讓本書內容更精彩且順利完成，最重要的是，郭先生對於臺灣史研究無私的奉獻，如同中央研究院臺灣史研究所前所長許雪姬博士所言「是一位恢宏大度的專家」，盛情隆誼謹此深致感謝。

附錄 Appendix

臺灣馬政事業發展大事紀

年份	大事紀	時空背景
明治 28 年（1895 年）		日本統治臺灣。
明治 32 年（1899 年）		設臺北農事試驗場。
明治 33 年（1900 年）		臺灣總督府設置獸醫許可；八國聯軍。
明治 35 年（1902 年）		臺中公園內的物產陳列館開幕。
明治 36 年（1903 年）		總督府農業試驗場。
明治 37 年（1904 年）		日露戰爭（日俄戰爭）。
明治 39 年（1906 年）		「東京賽馬會」創立；東京成立「馬政局」，實施「馬政計畫」。
明治 41 年（1908 年）	開發后里水圳；興建「后里發電廠」。	東京禁止發行馬券。
明治 42 年（1909 年）	后里原名內埔；屬臺中縣大甲支廳。	臺灣糖業獎勵的改良成功。
明治 44 年（1911 年）	「后里發電所」完工。	
大正 2 年（1913 年）	從菲律賓進口特有矮種馬。	
大正 3 年（1914 年）	后里庄蔗苗養成所第一苗圃。	

大正 9 年（1920 年）	內埔屬臺中州豐原郡。	
大正 10 年（1921 年）	成立「后里圳水利組合」。	設中央研究所農業部。
大正 12 年（1923 年）	日本商人在全臺各地巡迴表演馬賽。	東京制定《賽馬法》；廢除「馬政局」。
昭和 2 年（1927 年）		東京制定《地方賽馬規則》。
昭和 3 年（1928 年）	臺北舉辦賽馬。	
昭和 4 年（1929 年）	「臺中賽馬會」成立；借用臺中練兵場（干城）；進口軍用的牝馬 12 匹、牡馬 1 匹繁殖。	
昭和 5 年（1930 年）	嘉義與屏東完成 800 公尺的常設競馬場。	
昭和 6 年（1931 年）	成立「臺灣賽馬協會」新竹、高雄完成 800 公尺的常設競馬場。	九一八事變。
昭和 7 年（1932 年）	臺灣畜產協會成立。	偽「滿洲國」成立。

昭和 9 年（1934 年）	設立「后里農業公民學校」；臺北召開「馬事懇談會」。	
昭和 10 年（1935 年）	臺中州農會開始馬知識推廣。	屯仔腳大地震；始政 40周年臺灣博覽會。
昭和 11 年（1936 年）	實施「臺灣馬政計畫」；大肚山競馬場完成；改名為「后里實踐農業學校」。	臺中州成立臺中州畜產會；恢復「馬政局」，實施「第二次馬政計畫」。
昭和 12 年（1937 年）	臺中州畜產會決定建設產馬牧場。	頒布《畜產會令》。
昭和 13 年（1938 年）	4 月 27 日「后里牧場」正式啟用。	臺灣畜產會成立；發布《臺灣競馬令》及《臺灣競馬令施行細則》。
昭和 15 年（1940 年）	臺灣總督府設置馬獸醫專科。	
昭和 16 年（1941 年）	臺南新化闢建官方種馬牧場。	
昭和 18 年（1943 年）	獎勵馬產；調降馬券稅。	
民國 34 年（1945 年）	臺中接管委員會接收后里馬場。	臺灣光復。

奔騰年代 │ 牧馬中樞的后里馬場

民國 35 年（1946 年）	臺中縣農會「后里畜牧場」。	
民國 36 年（1947 年）		二二八事件。
民國 38 年（1949 年）		中央政府遷臺；后里屬臺中縣內埔鄉。
民國 40 年（1951 年）		陸軍官校「馬匹管教所」幹部巡迴全臺。
民國 41 年（1952 年）	成立「聯勤臺灣種馬牧場」。	
民國 42 年（1953 年）	發行《臺灣種馬牧場週年紀念特刊》。	
民國 44 年（1955 年）	派員到日本奈良購買馬。	「內埔鄉」改為「后里鄉」。
民國 45 年（1956 年）	臺灣省保安司令部掌管后里馬場；增加到 160 匹馬。	
民國 47 年（1958 年）	臺灣警備總司令部掌管后里馬場。	
民國 48 年（1959 年）	增加到 400 多匹馬；臺北騎馬協會訪問；支援「喋血販馬場」拍攝。	
民國 49 年（1960 年）	改隸陸軍供應司令部管轄。	

民國 50 年（1961 年）	中國青年反共救國團舉辦「騎士隊」。	
民國 54 年（1965 年）	支援《西施》拍攝。	
民國 55 年（1966 年）	支援《還我河山》拍攝。	
民國 62 年（1973 年）	約旦哈山親王贈送 6 匹名駒。	
民國 63 年（1974 年）	小型馬術比賽。	
民國 64 年（1975 年）	第一屆「中正盃」馬術競賽大會。	
民國 65 年（1976 年）	全國第二屆「中正杯」馬術競賽。	
民國 67 年（1978 年）		國內私人馬場興起；積極推廣馬術運動。
民國 68 年（1979 年）	后里馬場騎術隊式微。	
民國 70 年（1981 年）	國防部精減后里馬場人力及馬匹。	
民國 73 年（1984 年）	軍方決定退出；后里馬場開始對外營業，增闢遊樂項目。	
民國 81 年（1992 年）	改由軍管區司令部代管。	
民國 86 年（1997 年）	后里馬場停止對外營業；臺中縣政府有意接手經營。	

民國 88 年（1999 年）	臺中縣府接手並委託后里鄉公所代管；臺中縣農會提告爭主權。	
民國 93 年（2004 年）	最高法院三審定讞臺中縣農會勝訴。	
民國 96 年（2007 年）	臺中縣政府舉辦「兩馬文化節」。	
民國 97 年（2008 年）	臺中縣政府規劃委外經營研究案。	
民國 99 年（2010 年）		臺中縣市合併成直轄市。
民國 107 年（2018 年）	后里馬場成為臺中市舉辦 2018 臺中世界花卉博覽會的主要場地之一。	

參考書目 Bibliography

| 書籍 |

1. 吳德龍編，《外埔情懷——老照片專輯》，臺中縣：外埔鄉公所，1998。

2. 洪慶峯編，《臺中縣鄉賢傳》，臺中縣：臺中縣立文化中心，1992。

3. 鄭國上，《馬術》，香港：瀚林苑出版社，2009。

4. 戴貴立，《賽馬大贏家——賽馬熱身操》，臺北縣：大堯文化，2007。

5. 范木蘭，《蔗田到花鄉——后里老照片集》，臺中縣：后里鄉公所，2007。

6. 佛瑞著，趙英米譯，《馬術寶典——騎馬要訣與馬匹照護》，臺北市：大都會文化，2007。

7. 臺中縣政府編，《臺中縣兩馬文化觀光導覽手冊》，臺中縣：臺中縣政府，2006。

8. 王智　，《臺中縣文化休閒導覽手冊》，臺中縣：臺中縣立文化中心，2011。

9. 臺中州役所，《臺中州管內概況及事務概要》，臺中州：臺中州役所，1931 ～ 1945。

10. 臺中州役所，《臺中州概觀》，臺中州：臺中州役所，1931 ～ 1945。

11. 王俊秀、莊士德，《臺灣獸醫發展史》，臺北市：行政院農業委員會，2002。

12. 李藩，《馬學》，臺中市：臺灣省立中興大學，1964。

13. 張良澤編，《臺中繪葉書：日記時期影像與遊記》，臺中市：臺中市政府文化局，2017。

14. 戴貴立，《賽馬熱身操》，臺北市：旺文社有限公司，1987。

15. 愛德華著，貓頭鷹出版社譯，《馬》，北京市：中國友誼出版公司，2007。

16. 長島信弘著，劉靜慧譯，《賽馬人類學》，板橋：稻香出版社，1991。

17. 王正雄編，《中縣口述歷史第三輯》，臺中縣：臺中縣立文化中心，1994。

18. 蔡慧玉編，《中縣口述歷史第四輯》，臺中縣：臺中縣立文化中心，1997。

19. 茅家琦編，《臺灣三十年 1949～1979》，河南省：河南人民出版社，1988。

20. 何鳳嬌編，《政府接收台灣史料彙編》（上、下），臺北縣：國史館，1990。

21. 洪卜仁編，《臺灣光復前後 1943～1946》，福建省：廈門大學出版社，2010。

22. 田垣住雄，《馬學綜説》，東京市：養賢堂出版社，1950。

23. 楊彥騏，《臺灣百年糖紀》，臺北市：城邦出版社，2001。

24. 陳茂祥，《臺中縣后里鄉地方文史導覽手冊》，臺中縣：臺中縣后里鄉公所，2006。

25. 蕭瑤友，《臺中縣吃喝玩樂便旅圖》，臺北市：戶外生活圖書公司，2006。

26. 蔡崇和，《舊山線鐵道小故事》，臺中縣：臺中縣立文化中心，1999。

27. 臺灣總督種馬牧場，《牧場要覽》，臺南州：臺灣總督種馬牧場，1941

28. 臺灣畜產會編，《臺灣畜產會會報》，臺北市：臺灣畜產會，1938～1942。

29. 臺灣畜產協會編，《臺灣之畜產》，臺北市：臺灣畜產協會，1933～1938。

30. 臺中州畜產會編，《臺中州畜產會會報》，臺北市：臺灣畜產會，1938 ～ 1942。

31. 帝國競馬協會編，《日本馬政史》，東京市：帝國競馬協會，1928。

32. 臺灣競馬協會編，《競馬成績書》，臺北市：臺灣競馬協會，1937 ～ 1942。

33. 臺南州畜產會編，《馬事便覽》，臺南市：臺南州畜產會，1941。

34. 臺灣日日新報臺南支社，《臺灣總督府種馬牧場》，臺南市：臺灣日日新報臺南支社，1941。

35. 甘添貴，《各國賽馬活動管理制度之比較研究》，臺北市：行政院研究發展考核委員會，1990。

36. 宮崎健三，《朝香久邇兩宮殿下奉迎記》，臺北市：臺灣日日日新報社，1928。

37. 后里實踐農業學校，《第六回卒業紀念寫真帖》，豐原郡：東洋寫真館，1942。

38. 臺灣總督府，《臺灣馬政計畫》，臺北市：臺灣總督府，1937。

39. 臺灣總督府，《始政四十年周年臺灣博覽會紀實》，臺北市：臺灣總督府，1936。

| 碩博士論文 |

1. 林曉君，《馬場經營顧客滿意度之研究》（未出版碩士論文），高雄市：義守大學，2010。

2. 青木喜作，《臺灣ニ於ケル馬匹管理法》（未出版碩士論文），臺中市：臺北帝國大學附屬農林專門部，1934。

3. 西岡茂嗣，《臺灣ニ於ケル競馬ノ沿革竝ニえが現況》（未出版碩士論文），臺中市：臺北帝國大學附屬農林專門部，1941。

| 期刊 |

1. 黃沛晴，〈后里鄉觀光發展之研究〉，《社會科研究》，第9期（2004），頁 53～75。

2. 吳政恆，〈后里樟樹公捃紫之民俗信仰〉，《臺灣文獻》，第45卷4期（1994），頁 89～100。

3. 林衡道，〈后里風光〉，《臺灣風物》，第30卷1期（1980），頁 116～117。

4. 陳品涵，〈飛越山頭的后里圳〉，《卦山史話》，第7期（2016），頁 165～182。

5. 葉明官、黃旭燦，〈臺中后里地區地質構造〉，《臺灣石油地質》，第40期（2013），頁 1～28。

6. 葉錦爐，〈新竹競馬場的故事〉，《竹塹文獻雜誌》，第50期（2011），頁 118～123。

7. 董瑞慶，〈馬嘶龍嘯縱橫后里〉，《師友月刊》，第208期（1984），頁 43～44。

8. 戴貴立，〈養馬成本概說〉，《中國畜牧》，第21卷12期（1989），頁 71～72。

9. 戴貴立，〈臺灣馬的過去與現在〉，《中國畜牧》，第21卷8期（1989），頁 70～72。

10. 戴貴立、毛冠貴，〈臺灣養馬發展歷程與未來趨勢之探討〉，《2008第五屆農村規劃學術研討會》，第5期（2008），頁 89～101。

11. 福井蹄枕，〈搭伽沙古之馬に就て〉，《臺灣時報》，昭和

6 年 7 月號，頁 70 ～ 80。

12. 岡崎滋樹，〈植民地畜產部門から再考する戰前昭和期 資源增產計畫──臺灣馬政計畫（1936-1945）を中心に──〉，《日本獸醫史學雜誌》，第 53 期（2016），頁 41 ～ 53。

13. 岡崎滋樹，〈近代日本の畜產「雜種化黃金期」と馬匹改良── 1896 ～ 1935 年の馬正／畜產──〉，《立命館經濟學刊》，第 63 卷 1 期（2014：5），頁 50 ～ 71。

14. 楊守紳，〈臺灣之馬〉，《臺灣銀行季刊》，第 5 卷 2 期（1953），頁 90 ～ 104。

15. 福井生，〈臺灣の產馬問題 將來（上）〉，《臺灣時報》，昭和 4 年 6 期，頁 69 ～ 74。

16. 福井生，〈臺灣の產馬問題 將來（下）〉，《臺灣時報》，昭和 4 年 7 期，頁 56 ～ 60。

17. 林政儒，〈曇花一現的臺灣馬產事業：臺灣總督府種馬牧場〉，《臺灣學通訊》，第 84 期（2014），頁 26 ～ 27。

18. 岡崎滋樹，〈日治時期的臺灣馬政計畫〉，《臺灣學通訊》，第 84 期（2014），頁 24 ～ 25。

19. 戴寶村，〈消失的體育活動──賽馬與相撲〉，《臺灣學通訊》，第 84 期（2014），頁 28 ～ 29。

20. 福井蹄枕，〈臺灣競馬會の趨勢〉，《臺灣時報》，（昭和 8 年 9 期），頁 155 ～ 162。

21. 吳文星，〈日據時期臺灣彩票制度之探討〉，《師大學報》，第 33 卷 1 期（1988），頁 283 ～ 300。

22. 陳夢痕，〈日據時臺北之彩票與賽馬〉，《臺北文物》，第 7 卷 4 期（1958），頁 94 ～ 97。

23. 吳文星，〈東亞最早的公營彩票──臺灣彩票〉，《歷史月刊》，第 2 期（1988），頁 78 ～ 81。

24. 羅揚，〈群星薈萃的人文地景──從臺北競馬場到北投復興

崗〉，《文訊》，第 391 期（2018），頁 92 ～ 94。

25. 潘逸嫻，〈初探高雄競馬場（1931 ～ 1944）〉，《高雄文獻》，
第 6 卷 3 期（2016），頁 146 ～ 158。

26. 葉錦爐，〈新竹競馬場的故事〉，《竹塹文獻雜誌》，第 50
期（2011），頁 118 ～ 123。

27. 戴振豐，〈日治時期臺灣賽馬的沿革〉，《臺灣歷史學會會
訊》，第 16 期（2003），頁 1 ～ 17。

28. 小川薰，〈臺灣競馬界の沿革と其の將來〉，《臺灣時報》，
（昭和 14 年 5 月），頁 26 ～ 38。

29. 蔡禎雄、鄭國銘，〈殖民政策下臺灣「體育俱樂部」運動推
展之歷史考察 1903 ～ 1916 年〉，《國北教大體育》，第 4
期（2010），頁 88 ～ 108。

30. 楊護源，〈清代后里臺地東部、臺中盆地北部地區的聚落
拓殖與族群互動〉，《中縣文獻》，第 11 期（2007），頁
135 ～ 193。

31. 林如鈴，〈享玩暑假樂翻天──臺中后里 騎「馬」優遊山
線〉，《行遍天下》，第 189 期（2007），頁 42 ～ 43。

32. 鍾燕宜、陳景元，〈地方文化創新生活產業推動之研究──
臺灣后里薩克斯風音樂節慶活動為例〉，《中華管理評論》，
第 11 卷 1 期（2008），頁 1 ～ 32。

33. 黃靜茹、王柏山，〈后里鄉糖業轉型觀光過程〉，《僑光技
術學院通觀洞識學報》，第 10 期（2008），頁 75 ～ 93。

34. 呂崇銘、呂適仲，〈后里馬場之遊客遊憩動機與滿意度研
究〉，《運動與遊憩研究》，第 4 卷 4 期（2010），頁
153 ～ 169。

35. 董鳳翔，〈少年遊──到后里騎馬去〉，《幼獅少年》，第
46 期（1980），頁 87 ～ 92。

36. 白鉎畊，〈后里鄉花卉產銷概況〉，《臺灣花卉園藝》，第

6 期（1988），頁 18 ～ 19。

37. 方德琳，〈楊天生、林資清並駕齊驅——后里將成賭馬勝地〉，《財訊》，第 167 期（1996），頁 196 ～ 197。

38. 古喬，〈位在地震帶的學校——后里國中〉，《師友月刊》，第 376 期（1998），頁 95 ～ 97。

39. 健雲，〈薩克斯風音符飄揚在后里〉，《臺灣月刊》，第 261 期（2004），頁 36 ～ 39。

40. 林怡君，〈造訪全球薩克斯風：臺灣后里人要打響 Saxophone 臺灣品牌〉，《卓越雜誌》，第 245/246 期（2005），頁 160 ～ 163。

41. 蔡文婷，〈不同凡響：后里薩克斯風家族〉，《光華》，第 30 卷 6 期（2005），頁 78 ～ 87。

42. 鐘玉霞，〈臺中后里兩馬文化節〉，《行遍天下》，第 166 期（2005），頁 38 ～ 40。

43. 劉健哲，〈后里泰安村休閒農業發展之研究〉，《農林學報》，第 54 卷 4 期（2005），頁 263 ～ 282。

44. 郭鴻裕，〈中部科學工業園區第三期發展區后里基地——七星農場開發計畫的觀感〉，《生態臺灣》，第 14 期（2007），頁 7 ～ 11。

45. 國防部，〈臺中后里陸軍裝甲 586 旅營區開放活動〉，《尖端科技軍事雜誌》，第 271 期（2007），頁 42 ～ 43。

| 報紙 |

1. 《臺灣日日新報》，1938 年 4 月 28 日第 5 版，臺灣馬產中樞后里牧場落成舉行盛大開幕典禮。

2. 《臺灣農林新聞》，1939 年 11 月 10 日第 10 版，全島模範

臺中州的產馬狀況。

3. 《臺灣農林新聞》，1938 年 12 月 10 日第 3 版，臺中州的產業計畫全島馬產的先鋒。

4. 《まこと》，1938 年 4 月 1 日第 8 版，后里大牧場第一期工程完成四月落成式。

5. 《臺灣農林新聞》，1937 年 5 月 10 日第 9 版，產馬的中樞機關臺中州農會事業。

6. 《まこと》，1936 年 8 月 1 日第 4 版，臺中州種畜場的建設經費 42 萬 。

| 網路 |

1. 維基百科，臺灣賽馬：http://www.ntl.edu.tw/public/Attachment/39181049133.pdf（搜尋日期 2018 年 8 月 15 日）

2. 方傑民：鐵蹄烙在地表的輪廓——日治時期古今賽馬場紋理初探：http://readopac3.ncl.edu.tw/nclJournal/search/search.jsp?search_type=sim&la=ch&prompt_word=%E9%90%B5%E8%B9%84%E7%83%99%E5%9C%A8%E5%9C%B0%E8%A1%A8（搜尋日期 2018 年 8 月 15 日）

3. 維基百科，拉斯科洞窟壁畫：https://zh.wikipedia.org/wiki/%E6%8B%89%E6%96%AF%E7%A7%91%E6%B4%9E%E7%AA%9F%E5%A3%81%E7%94%BB（搜尋日期 2018 年 8 月 15 日）

《奔騰年代：牧馬中樞的后里馬場》

作　者	林慶弧・郭双富
發 行 人	林佳龍
主　編	王志誠（路寒袖）
編 輯 委 員	施純福・黃名亨・楊懿珊・林敏棋・陳素秋・林承謨
執 行 編 輯	郭恬氤・陳兆華・錢麗芳・范秀情・蔡珮芸・洪國恩・
	林俞君・張甯涵・張景森

出 版 單 位	臺中市政府文化局
地　址	臺中市西屯區臺灣大道三段 99 號惠中樓 8 樓
網　址	http://www.culture.taichung.gov.tw
電　話	04-2228-9111
展 售 處	五南書局／ 04-2226-0330 ／臺中市中區中山路 6 號
	國家書店松江門市／ 02-2518-0207 ／臺北市中山區松江路 209 號 1 樓

編 輯 製 作	遠景出版事業有限公司
負 責 人	葉麗晴
主　編	賴雯琪
執 行 編 輯	李偉涵
封 面 插 畫	鄭硯允
美 術 設 計	高仕宇
內 文 排 版	黃鈺菁

地　址	新北市板橋區松柏街 65 號 5 樓
電　話	02-2254-2899
傳　真	02-2254-2136
劃 撥 戶 名	晴光文化出版有限公司
劃 撥 帳 號	19929057
總 經 銷	紅螞蟻圖書有限公司

初　版	中華民國 107 年 12 月
定　價	新臺幣 300 元
G P N	1010702359
I S B N	978-986-05-7870-6

國家圖書館出版品預行編目資料

奔騰年代：牧馬中樞的后里馬場／林慶弧, 郭双富著
－初版－臺中市：中市文化局，
民 107.12　面；　公分 . －（臺中學 . 2018）

ISBN 978-986-05-7870-6(平裝)

733.9/115　　　　　　　　　　　107021662